어디 한번 가 볼까?
지리산!

어디 한번 가 볼까?
지리산!

발 행 | 2024년 07월 25일
저 자 | 장의영
펴낸이 | 한건희
표지 디자인 | 장승근
펴낸곳 | 주식회사 부크크
출판사등록 | 2014.07.15(제2014-16호)
주 소 | 서울특별시 금천구 가산디지털1로 119 SK트윈타워 A동 305호
전 화 | 1670-8316
이메일 | info@bookk.co.kr
ISBN | 979-11-410-9739-4
www.bookk.co.kr

어디 한번 가 볼까?
지리산!

장의영 지음

순서

제3화 실행

제4화 정리

머리말

　지리산, 잘해야 한 해에 한 번쯤 다녀올 수 있는 산입니다. 2018
년 5월 21 출발하여 3박 4일 지리산 '화대 종주' 다녀왔습니다.

　팬데믹 이후 답답함 호소하는 '코로나 블루 이웃 많습니다. 사회
적 질병이 되었습니다. 둘레 길 걷는 습관 5년여 지속되어 '지리산'
소리만 들어도 설렘입니다.

깊은 계곡 물소리
내 호흡에 발소리

환영하는 새 소리
침묵의 운하 소리
나뭇잎 흔드는 바람 소리

오르며 지는
찬란한 빛의 향연

어머니 품 같은 지리산
어디 한번 다녀올까요?

　준비 과정 설렘과 실행 기록 담았습니다. 호기심 가지신 분 계신
가요? 어느 산길 가시든 몸과 마음 치유에 도움되면 좋겠습니다.
감사합니다. 장 의영

제1화 설렘

역사

지리산은 1967년 12월 우리나라 첫 번째 국립공원으로 지정된 산이다. 483 제곱 킬로미터 면적이다. 해발 1,915m 높이로 1,947m 한라산 다음으로 남한 육지에서 가장 높다.

서울의 면적은 얼마나 될까? 605 제곱 킬로미터이다.

면적(面積)이란? '면이 이차원 공간 차지하는 넓이의 크기'라 한다. 쉽게 말하면 '평면의 크기' '넓이를 나타내는 양'이다.

뾰쪽한 산의 면적은 위에서 내려다본 평면만을 의미한다. 오르고 내리는 산길 거리도 평면에 직선으로 생각해야 한다.

갈수록 궁금증 깊어진다. 지리산 둘레길의 총거리는 얼마나 될까? 홈(jirisantrail.kr)에 들어가니 "3개 도, 5개 시 도 21개 구간"을 이은 295km라 한다.

참고로 지리산 국립공원공단의 홈페이지 소개한다. https://www.knps.or.kr/jiri 이다.

지리(地理)

우연한 생각인지 '지리산 둘레길'과 '서울둘레길' 그림이 비슷하다. 전체 코스 **21개 구간**으로 동일하다.

손 수건에 그려진 지도 사진으로 담았다.

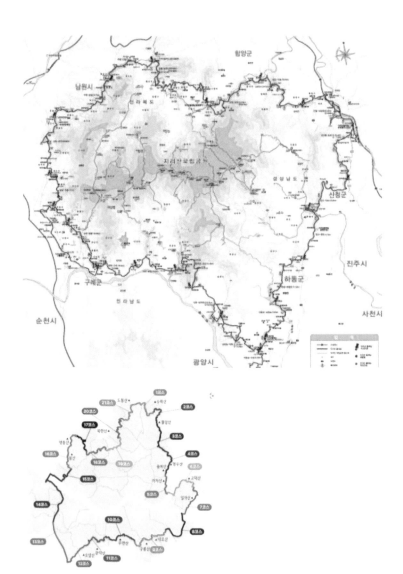

금년 4월부터 서울둘레길은 8개에서 21개 구간으로 변경되었다. 비교 차원에서 서울 둘레길 156.5 km 그림 첨부한다.

　　지리산은 **전북** 남원, **전남** 구례, **경남** 함양, 산청, 하동 등 **3도** 5군이 머리를 맞대 품어주는 산이다.

　　'슬기 지(智), 다스릴 리(異), 묘 산(山) 결합한다. 리산(智異山)이란? '지혜로워 재주가 신통하고 비범함 깨닫는 산', '어머니 산', '생명의 산', '소망의 산' 등으로 불린다.

　　해발 1,500m 이상 높이의 봉우리 봉(峯)이 20여 개 된다.

지리산(智異山) 지도는 언제 제작되었을까?

규장각 한국학연구원 홈에 들어가 살펴보았다. 1776~1787년 제작된 것으로 추정된다. 1849년 발행된 조선의 명산과 지리산, 서울역사 박물관에 소장되어 있다.

옛 지도 '고려사지리지'에 지리산을 **두류산(頭流山), 방장산(方丈山)'** 등으로 기록되었다. 18세기 중엽에 그려진 '동국대총'에는 '방장(**方丈**)'이라 표기되었다.

조선중기 '신증동국여지승람'에 지리산은 백두산의 산맥이 뻗어내려 여기에 이른다. 그리하여 **'두류'**라 언급되었다.

김정호(1804년~1866년)의 청구도와 동여도(東輿圖)에 지리산 천왕봉, 반야봉, 쌍계사 등 이름이 표기된다.

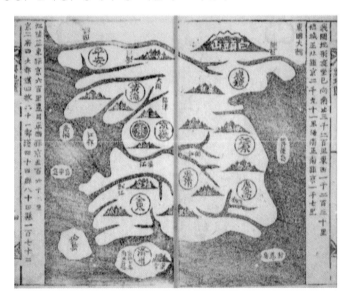

저자 미상 동국여지도(東國興地圖 헌종15년 1849)에 '지리산(智異山)'이라 표기되어 있다.

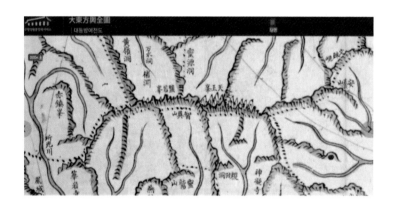

대동방여전도(규장각원문검색서비스)에 화엄사와 반야봉 글씨도 보인다. 뾰쪽한 산 모양 그려놓고 지리산(智異山) 천왕봉(天王峯)이라 왼편으로 읽게 표기되어 있다.

김정호 편저, 규장각 원문 검색 '청구요람'에 지리산 천왕봉과 노고단 반야봉이 다른 봉들보다 약간 높게 그려져 있다. 그 시절에 '기압계'도 없이 산 높이 어떻게 측정했을까?

관련 책

　　지리산에 관련된 글과 그림 찾아보고 싶다. 블로그에 '지리산 시인'이라 검색하니 많은 시인 철 따라 노래한다. 읽으면 읽을수록 능선 따라 계곡 깊어지며 구름 따라 봉(峯)이 하늘에 닿는다.

　　조선 퇴계 이황과 동갑이며 더불어 한 시대 사상적 지주였던 남명(南冥) 조식(曺植, 1501~72) 선생은 '덕산계정 기둥에 새긴 글(題德山溪亭柱)에 이렇게 읊었다.

　　　'천석이나 되는 저 큰 종을 좀 보소.

　　　크게 두드리지 않으면 울리지 않는다오.

　　　허나 그것이 지리산만하겠소.

　　　지리산은 하늘이 울어도 울리지 않는다오.'

　　　請看千石鐘 非大扣無聲　청간천석종 비대구무성

爭以頭流山 天鳴猶不鳴 쟁이두류산 천명유불명

(유홍준 지음 '산은 강을 넘지 못하고' P85에서 옮겨왔다)

남난희 지음 '당신도 걸으면 좋겠습니다'책에 다음과 같이 적었다.

산은 물줄기 양분한다.

삶과 정신의 산이다.

상상과 여유 얻어온다.

우리 보호한다.

우리는 아끼고 그 산 사랑한다.

  "백두대간(白頭大幹) 산경도"에 백두산에서 시작하여 금강산, 설악산, 구봉산, 태백산, 속리산, 지리산까지 뻗어 내린 우리 땅의 중심산맥 설명한다.

  이 지도의 특징은 '산맥(山脈)'이라 부르기 않고

  정맥(正脈)이라 불렀다.

  '금북정맥(錦北正脈)' '호남정맥(湖南正脈)' 등이다.

대하소설 태백산맥(太白山脈)

어쩌면 이렇게도 산에 방금 다녀온 사람들이 느끼는 감정보다 더 상세하게 표현할 수 있을까!

이 글 읽으면 내가 지금 그 자리 그 계곡 그 봉 위에 서 있는 듯하다. 광경이 떠오르며 소리까지 들리는 듯하다. 마음 맑아진다.

조정래 작가의 9권 321쪽에는 지리산을 아래와 같이 그려 놓았다.

1,915m 천왕봉, 1,732m 반야봉, 1,507m 노고단을 3대 주봉이라 한다. 천왕봉을 중심으로 4방 대원사, 칠선골, 중산리, 화엄 골, 문수리골, 피아골이 펼쳐 있다.

천왕봉 아래 장터목에서 서쪽으로 주 능선 따라 세석평전 자리한다. 지리산이 품고 있는 삼도오군의 분기점은 토끼봉과 반야봉의 중간 지점 삼도봉(三道峰)이다.

귀에 들리는 것은 끊임없는 계곡의 물소리였다. 마음에 담기는 것은 크고 큰 산이 지니는 무한량의 정적 무게였다.

장대하고 웅장한 산, 그칠 줄 모르고 쏟아지는 소낙비처럼 줄기차게 울려대는 물소리에 마음 빼앗긴다.

좌우 양쪽에 겹겹이 펼쳐진 산들은 '산의 물결'이다. 짙은 녹음에 덮인 채 겹 이루며 펼쳐져 있는 산들이다. 거칠게 일어나고 있는 파도들 형상이다.

물줄기 흐름은 언제나 부드럽고 얌전하지 않다. 앞을 가로막는 바위가 있으면 여지없이 부딪쳐 제 몸 바순다. 갑작스레 나타나도 주저 없이 제 몸 굴려 떨어뜨린다.

물줄기는 그때마다 몸 부서지는 소리 낸다. 소리가 모아져 골짜기의 양쪽 벽을 세차게 두들기는 소리 낸다.

물줄기는 장애물 만날 때마다 부딪치고, 깨지고, 부서지고, 휘돌고, 솟구치고, 나뒹굴고, 처박히고, 맴돌이질 친다.

그러면서 흩어지거나 멈추지 않고 하나로 뭉쳐 결국 목적지에 도달한다.

풀잎들 이슬에 함초롬히 젖었다. 산들거리는 바람 계곡 타고 불어온다. 녹음의 푸름 묻혀온 싱싱한 그 바람결에 나뭇잎이며 풀잎들이 잔물결 이루며 가볍게 흔든다.

어둠에 묻혀 있던 자연의 생명들이 마침내 하룻밤의 잠에서 깨어나고 있다. 식물의 무한한 생명력이다.

빛이 살아 붉은 기운 일렁인다. 출렁거리며 물결로 솟고 있다. 그 붉은 빛 밀어 올리며 황금빛 살이 뻗어 오르고 있다. 붉은 색조 물들인다. 싱싱하게 살아 오른다. 아침 해 찬란하게 빛난다.

장엄하다, 신비스럽다. 경이롭다. 구름바다 같다. 구름 위로 솟아오른 산봉우리들은 안개 가득한 들녘의 초가지붕들 같기도 했다.

운해는 바람결 타고 구름 깃 뭉클뭉클 피워 올려 구름 파도 일으킨다. 파도 소리 들리는 듯 '운파만리(雲破萬里)'인가!

"산이 산을 품고,

산이 산을 업고,

산이 산을 거느리고 있다.

크기와 모양새도 쉽사리 알 수 없는 미궁(迷宮)의 산이라 적었다.

지리산 10경

천왕봉 일출	天王日出	..	………………………………………
피아골 직전단풍	稷田丹楓	..	………………………………………
노고단 운해	老姑雲海	..	………………………………………
반야봉 낙조	般若落照	..	………………………………………
벽소령 명월	碧宵明月	..	………………………………………
세석평전 철쭉	細石躑躅	..	……………………………………………
불일현폭	佛日懸瀑	..	…………………………………………
연하선경	烟霞仙境	..	………………………………………

		....
칠선계곡	七仙溪谷	.. ..
		....
섬진청류	蟾津清流	.. ..
		....

'나무위키' 사전에 나와있는 위 글 읽으니 철 따라 더 가고 싶고 보고 싶다. 점선은 각자의 생각 적어보면 어떨까? 여백 남겼다.

화대 종주(縱走)

'종주'는 세로 종(縱), 달릴 주(走), 산등성이를 따라 걸어 많은 봉우리를 넘어가는 등산 용어(用語)이다.

초록의 잎은 무한한 생명의 경이 느낀다. "웅장하고 장엄한 각 처소의 경치를 무슨 단어로 표현해야 좋을까? 느끼는 사람들의 몫이다. 담는 사람들의 채움이다.

때가 때인 만큼 생성형 인공지능(AI)에 물어볼까? 설마 알까?

핸드폰 화면에 '뤼튼' 불러 '당신은 생각하며 공부한다고 들었다. '화대 종주' 아느냐?' 바로 대답 올라온다.

네, 저도 화대 종주에 대해 잘 알고 있습니다. 지리산 종주 코스 중 가장 힘든 코스로 알려져 있죠" 라며 개요와 남들이 올려준 경험담 적었다.

구례 화엄사에서 시작하여 산청 대원사까지 약 45km를 종주하는 힘든 산행이다.

오르막과 내리막이 쉴 새 없이 이어져 '지옥 같은 경험'이라고 표현될 정도로 난이도가 높다.

체력을 과대평가하면 숨이 턱까지 차오르고 온몸이 땀으로 젖는 등 힘듦 경험할 수 있다. 준비사항으로 충분한 체력관리와 대피소 예약이 중요하다.

충분한 식량과 물, 응급키트 등 준비하라. 이를 완주하면 큰 성취감 느낄 수 있다.

이어 참고했다는 종주의 특징과 경험담 등 적어준다.

"네이버 블로그에 5월의 화대종주 1박 2일 코스", "네이버 블로그에 지리산 무박 화대종주 완주 후기", "월간 산, 누구나 갈 수 있지만 아무나 못 가는 지리산", "브런치 스토리", "지리산 화대종주 46km 지옥의 고행" 등 참고했다는 자료 보여준다. 이 자료 열어보니 체험 정보 많았다.

이어 "화대종주 길들일 수 있을까?" 물어보라, 질문 예시까지 뜬다. 얼씨구, 대화 지속하자는 말이다.

"네, 꾸준한 준비와 노력이 필요합니다. 다음과 같은 팁들 참고해보시면 좋을 듯합니다.

규칙적인 운동으로 근력강화 유산소 등 체력 키우세요. 등산화,

배낭, 필수 장비 선택하세요. 무게 최소화하고 내구성 있는 장비 선택하세요."

이 내용 읽어보며 나는 이 보다 더 자세하게 체험 위주 적어야 되겠다. 인공 지능은 직접 체험하지 않은 사항이니 단순 참고 용이다. 이래서 이 책의 필요성 느낀다.

감명 깊은 내용 10가지로 간략하게 말해보라 했다.

@자연의 아름다움. @ 자기 극복. @ 동료 애. @ 고요한 시간. @ 체력과 정신력 강화. @ 자연과의 조화. @도전과 성취. @ 산 속의 만남. @ 자연보호 의식 @ 일상의로의 복귀를 더했다.

설렘

어린 시절 설날이나 추석 명절 기다리던 마음 '설렘'이다. 검정 고무신에 꼬까옷 받는 '들뜸'이다. 중등 시절 여름 방학 친구 집 가던 일도 설렘이다. 수학여행 떠나던 전날 밤, 취직 시험 치른 후 합격자 발표 전날, 부모님 앞에서 결혼식 올리던 날도 '두근두근' 설렘이다.

'마음이 가라앉지 아니하고 들떠 두근거린다.' 새삼 새겨보는 아침 설렘이다. 우리 일상(日常) 설렘으로 가득 엮어진다.

이를 성숙(成熟)으로 만들려 노력하는 한 날이다. 숙연(肅然)함에 두 손 모아 감사 기도하며 잠 청한다. 두 발 주 -우--욱 힘주어 펴는 아침 기도 속에 하루 연다.

어제까지 채워 넣은 배낭 메어보며 셀카 담았다. 나의 미소 보는 사진 재미있다. 한 장면에 내 모습 입체로 3장 잡혔다.

아직도 멸치조림, 밑반찬과 연료 가스, 옷가지 등 몇 점 남아 있다. 호주머니 속에 넣고 손쉽게 군것질할 육포다. 적당한 크기로 썰어 놓았다. 나만 먹을 수 없으니 동료 몫까지 구분하여 냉장고에 넣어 놓았다.

출발 직전 꺼내어 배낭에 넣어야 한다. 건조한 바나나와 양갱이 친구 몫도 별도로 포장했다.

어떻게 무게와 부피 줄일까! 줄기찬 욕구 지속된다. 알루미늄 재질로 만들어진 버너의 바람막이 판도 두터운 종이로 만들었다.

쌀국수 포장 종이 제거했다. 누룽지 적당량 넣어 부피 줄였다. 배낭 부피 줄임은 나뭇가지나 협곡 바위에 부딪힐 위험 방지하는 일이다.

오늘까지 9kg 준수된다. 동료가 묻는다. "양말 세탁할 수 있는가?" 두 장 준비하여 번갈아 빨아 배낭에 매달고 다니면 마르지 않을까?

대답은 '노'이다.

탐방 소에 비누, 치약 등 사용할 수 없다. 환경 오염물이다.

계곡 흐르는 물에 "씻으면 안 될까?" 환경법에 위배된다. 과자 먹은 비닐 쪽지 하나 버리면 안 된다.

혹여 남이 모르고 버려진 휴지 쪽 보이면 수거하는 습관 들여야 한다. 산 좋아하는 사람들 불평 없는 역할이다.

"날씨 좋아야 할 터인데!" 동료 걱정할 때 '받아진 날' '비가 와도 좋고 눈이 와도 좋다.' 긍정의 말이다. 당하는 현실에 즐기면 된다.

구름바다 노고단 정상에서 내려 보는 운무(雲霧) 생각하면 설렘이 온다. 천왕봉 기념석 내 품에 안아 오리라. 그 산 그 계곡 그 자국마다 변함없이 꽃 피고 새 바람 불어오리라.

하늘, 비가 닦으면 얼룩진 내 마음은 향기로 채우겠다. 여린 내 영혼의 맑음을 위해 노래하리라. 우주에 나의 발자국 남기며 하늘 거울 바라보리라. 기도하리라. 5.7

제2화 준비

준비 1

지리산 종주(縱走)는 고산지대로 빙판과 한 여름 폭우 등은 피함이 안전하다. 5월부터 10월 사이 추천한다.

코스는 구례 화엄사나 성삼재에서 출발한다. 장터목 대피소에서 백무동이나 중산리 혹은 대원사에 도착하는 코스이다. 머리글자 따서 부른다.

화백, 화중, 화대, 성중종주 등이다. 이 경우 대부분 사람은 장터목 대피소에서 해발 1,915m 천왕봉 표지석에 올라 일출 광경 감상한 뒤 최종 목적지로 내려간다.

화대 종주는 화엄사에서 출발하여 노고단, 연하천, 벽소령, 세석, 장터목 대피소 등 차례로 이용한다.

화대는 천왕봉 경유하여 치밭목 대피소 거쳐 대원사로 내려오는 가장 긴 코스 약 45km 산행이다. 험산 1km는 직선으로 3~4km에 버금가는 거리라 비유한다.

주 능선 종주는 성삼재에서 출발하여 중산리로 내려가는 33.4km를 일컫는다.

새 소리, 물소리, 바람 소리와 자신의 호흡소리까지 하모니 된다. 자연 경관 감상할 수 있다. 무리하지 말고 본인의 몸 상태에 맞는 일정 계획하면 된다.

짧은 산행 코스도 있다. 중산리나 백무동에서 출발하여 장터목 대피소에서 1박 한다. 천왕봉 표지석 감상한 후 출발지로 되돌아가는 코스이지만 '종주'라 부르지 않는다.

국립공원이므로 대피소마다 출입 통제 시간이 있다. 출발 시 목적지 대피소 도착 시간 감안하여 나서야 한다.

예를 들어 백무동에서 출발하여 장터목 대피소로 가는 길은 두 방법이 있다. 하나는 지름길 코스 5.8km, 약 4시간 소요 예상된다.

두 번째 코스는 세석 대피소 경유하는 삼각 코스이다. 세석까지 6.5km, 4시간 30분 소요된다. 세석에서 3.4km, 2시간 더 걸어야 장터목에 닿을 수 있다. 합하면 하루에 10여 km, 6시간 30분 예상 되니 체력 감안하여 결정해야 한다.

세석 대피소에서는 일몰 시각과 다음 목적지 장터목에 입실 시간 감안하여 대피소 출발 시간 통제한다.

그렇다고 예약하지 않은 세석 대피소에 임의로 입실할 수 없다. 이런 무모한 산행 되면 난감(難堪)한 일이다.

대피소마다 입실 가능 시간 있지만 마무리 시간도 지켜야 한다. 예기치 않는 부상 등이 있을 수 있다. 본의 아니게 지체 예상되는 경우는 관리소 직원과 긴밀한 협의 있어야 한다. 복잡 주는 일은 가급적 피함이 좋다. 출발 전 대피소 전화번호 적어두면 안심된다.

길이 아니면 선택하지 말아야 한다. 가끔 '비 법정 탐방로' 흔히 '비탐 길'이라 부른다. 자신만의 전율(thrill) 느끼기 위하여 선택하면 자연 훼손은 물론 사고 위험이 많다.

'나무위키' 열고 '비법정 탐방로' 넣으면 대표적인 '탐방로'와 '기간 제한 등산로' 자세하게 나온다. 벌금 감수하며 즐기는 분들도 가끔 있다. 그 말 들을 때 가슴 섬뜩하다.

남난희 지음 '당신도 걸으면 좋겠습니다' 책에 '비 법정 탐방로' '개선하면 좋겠다'는 의사도 읽었다.

각 대피소에 모포 대여는 코로나19 이전의 일이다. 각자 위생 문제 감안하여 준비해야 한다. 단, 침실 내부는 취침 시간 동안 바닥에 열선 가동되므로 침낭 준비하지 않아도 된다. 딱딱한 바닥에 불편함 느끼는 사람은 별도 가벼운 타올 등 준비하면 좋다.

대피소별 판매되는 물건 미리 확인하면 유리하다. 대피소에 '양갱'과 '생수' '취사용 가스' 판매한다. 당분 취하려고 무거운 '양갱' 넣어가는 사람들 참고하면 좋겠다. 때로는 품목별 품절되는 경우도 있으니 사전 확인 필요하다.

준비 2

국립공원은 일반 공원과 무슨 차이가 있을까? 국가에서 법으로 지정하고 유지 관리하는 자연공원을 말한다. 우리나라는 처음으로 지리산을 국립공원으로 지정했다.

산에 다니며 흔하게 볼 수 있는 '단체들 안내 리본' 본다. 국립공원에는 나무가지에 안내 리본 하나 임으로 부착할 수 없다. 풀 한 포기 뽑아도 안 된다. 나뭇가지 하나 손상해서도 안 된다. 바위 하나 임으로 이동시켜서도 안 된다. 자연 그 상태로 보존하며 보호해야 한다.

흐르는 계곡물에 손을 씻어서도 안 된다. 옛날에는 발도 씻고 목욕도 했다지만 이제는 법에 따라 이용자가 준수해야 한다.

거리감과 입체감 있는 지리산 안내 지도이다.

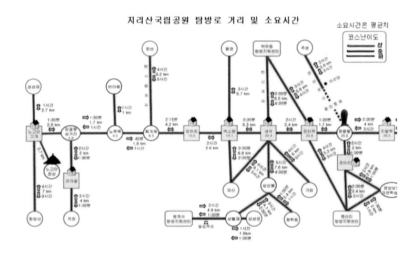

지리산국립공원 탐방로 거리 및 소요시간

예상 소요 시간 참고하면 좋겠다.

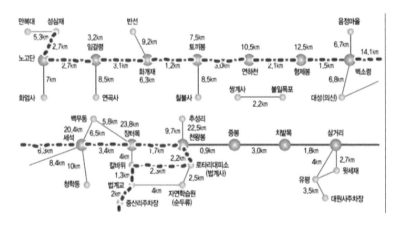

　코로나19 지나며 일부 대피소 보수 공사했다. 워낙 높고 열악한 지역이라서 공사 기간 예측할 수 없다.

　준비과정 기본은 코스에 따르는 대피소와 교통편 예약한다. 준비물 챙긴다. 마지막 한 가지 체력 훈련과 마음가짐이다.

준비 3

　공단 홈에 들어가 숙박 대피소 예약 신청한다.

1박 1인 12,000원 미리 지불해야 한다. 한 사람에 한하여 2개 대피소만 신청할 수 있다.

진행은 인터넷으로 신청 처리한다. 가고자 하는 날짜와 개소에 사람들 많이 접속하면 선정되지 않는 경우도 있다.

홈에는 대피소 안내된다. 가급적 혼자 여행하는 계획은 추천하지 않는다. 그래서인지 신청할 때 한 사람에 한 사람 동반할 수 있도록 허용된다. 이때 1인 추가 비용 부과된다. 우리는 3인이 가려고 한다.

화엄사에서 노고단 대피소 올라가는 시간 감안하면 구례역에 도착해야 하는 시간 역으로 예상된다. 아침 일찍 서울에서 열차 타고 구례역으로 간다. 이 또한 날짜와 시간 맞추어 미리 표 구입해야 한다. KTX와 SRT가 다닌다.

화엄사에서 출발하여 노고단 대피소에 첫 밤 맞는다. 이어지는 벽소령과 장터목 대피소 숙박 예정한다. 총 예상 거리 40여 km 된다.

장터목에서 천왕봉까지는 약 1.7 km 짧은 거리이다. 일출 시각 2시간 전에 출발한다. 머리에 전구 밝힌다. 정상에 오르면 기온 낮아지니 바람막이 옷 준비한다.

남들보다 먼저 오르면 여러 면으로 유리하다. 천왕봉(天王峯) 기념석 밑 돌 위에 앉기 편하다. 각자 일출 광경 바라보며 사진 담을 안전한 자리 찾는다.

나름 해맞이 행사(?) 마치면 5.4km 거리 중산리로 내려가는 코스가 있다. 14km 욕심부려 대원사로 내려오는 길도 있다.

3박 4일 동안 매고 다닐 생필품은 중량과 부피 줄임이 핵심이다. 대피소에 비닐봉지는 물론이고 휴지 한 장 버릴 수 없으니 짐이 된다. 전자 사례로 보아 각자 '10kg 이내' 준비키로 한다.

대피소 취사장에서는 개인 화기 사용 가능하다. 대피소 마다 자연식수 공급되며 '생수'와 '햇 반'도 판매하고 있다. 식수 바로 마시기에 찜찜하면 개인 화기로 끓여 보온병에 넣어 다니면 된다.

대피소에서 구입하는 햇반은 전자레인지로 데워준다. 다만 관리소 직원 근무시간에만 가능하다. 반찬은 개인이 준비해야 한다. 대피소에 금지하는 사항은 '술 마시기' '비누 칠하기' '치약 사용' '몸 씻기' 등이다. 식사 후 찬반 그릇 씻을 수 없으므로 본인이 닦아 소지해야 한다. 남은 반찬 등은 버리는 기구 비치되어 있다.

험산 오래도록 걷게 되므로 약간 두터운 등산 양말 준비하길 권한다.

준비 4, 등산화

지난 가을부터 신고 있는 '호카(HOKA) 등산화 적합할 것이라' 생각했다. 지금까지 '가볍고 편하다' 자랑하며 걸었다. 밑바닥 요철 부위 편 마모되지 않았고 신발 목이 길어 복숭아뼈까지 보호한다. 그간 발에 적응되었으니 더 안심이다.

그러나 그제 관악산 걸으며 이 등산화에 문제 발견된다. 바위에 앉아 신발 신은 상태로 식사하는 나의 눈은 왼쪽 신발로 향한다.

무언가 좀 이상하다! 접히는 부위 천이 밀려 터졌다.

걱정하며 돌아와 수리 방법 찾는다. 인터넷으로 현지 구입하였기에 '수선 서비스 불가'라는 대답이다.

차선으로 다음 날 집 근처 신발 수선가게 찾았다. 주인, 일감 없어 쉬고 있다. 힐끗 바라보며 '수리 불가' 외친다.

그렇다고 내가 물러설 사람인가? 터덜터덜 좀 멀리 다른 가게 찾았다. 이리저리 만져보며 '노력해 보겠다' 한다.

지저분한 모양이나 변화 등 괜찮습니다. 더 이상 찢어짐 번지지 않으며 방수 기능 되면 좋습니다. 부탁하고 왔다. 긍정 마음 감사했다. 일감도 많이 쌓여 있다. 수리해 보아야 알 수 있으니 비용 묻지 않았다.

찢기어 못 쓰는 것보다 다소 비용 지불하고 수리하는 방편(方便)은 마음에 든다. 다음 날 '8천 원' 부르는 대로 지불하고 찾아왔다. 내일 북한산 걸으며 신어 볼 것이다.

인터넷 이용한 직구(直購)는 시간과 비용 절감되는 이점 있지만 오늘 수리로 그 비용 다시 들어가는 경험 얻었다.

함께 걸은 동료 '의류, 장비, 식사, 간식, 기타' 등으로 준비물 차근히 요약해서 카톡 방에 올린다. 설렘 더해진다.

준비 5, 기타

3박 4일 지리산 종주할 친구는 벌써 짐 꾸려보며 무게 측정한다. 열량 대비하여 '전투식량 9식, 7kg'이라 하니 기타 합하면 10kg 초과 걱정된다.

그 식량은 찬물 넣어도 자체적으로 열이 발산되어 따스하게 시식할 수 있다고 하니 든든하다. 다만, 빈 그릇 매고 다녀야 한다.

그 말 듣는 순간 긴장된다. 지난 차 경험 생각났다. 3일 동안 매고 오르내려려 한다. '짐 무게 줄임' 최우선 과제이다. 어느 계곡 협소한 바위 사이 오르며 내려야 한다. 이때 배낭 부피 크면 위험할 수 있다.

걸으며 0.5리터 물 한 병의 무게 비우면 느낌 다르다.

지난 차에는 김치에 된장국 끓일 재료까지 14kg 매고 다녔다. 쌀과 김치 감자까지 남아 마지막 치밭목 대피소에 주었다.

이번에는 플라스틱 수저에 티타늄 물컵이며 나무젓가락 생각한다. 친구는 다용도 칼 등 넣는다. 하지만 나는 아니다.

무게 나가는 상하 비옷 대신 판초 우의 하나로 가름할 예정이다. 간식으로 챙겨야 하는 과자 숫자 세며 넣는다. 품목 리스트 적어보며 점검한다. 신분증은 미리 배낭에 넣었다. 리스트에 '육포' 빨강 펜으로 동그라미 그린다. 신선도 유지하기 위해서 냉장고에 보관한다. 설렘 더해진다. 준비하는 나날이 재미있다.

대피소에서 버너 취급 가능하니 주식은 쌀국수에 누룽지 적당히 넣어 끓일 것이다. 중식은 끓인 물 한 병 보온병에 넣어가면 된다.

중간 간식으로 마른 과일과 육포 등 섭취하면 된다. 다행히 대피소에 '햇반' 판매하고 있다는 정보 '비상식량' 든든하다.

버너용 연료, 액화 부탄가스 230g 1캔으로 라면 1개 15차 끓일 수 있다는 개념이다. 1캔이면 3인 9식 끓인다. 모자라면 대피소마다 판매하고 있으니 관리 직원 근무 시간에 구입할 수 있다.

서울 둘레길 걷는 동료, 자신의 가벼운 배낭 '빌려주겠다' 제안에 감사하다. 내 것 꺼내 보니 무게 비슷하지만 크기가 적어 불편할 듯하다.

2018년 5월에 신고 올랐던 '캠프라인 등산화' 신발장에 넣어놓은 지 오래되어 '창 분리?' 불안하다. 과감히 배제해야 한다.

신고 있는 가벼운 '호카' 등산화 신으려 수리한 후 방수 액 듬뿍 뿌려 놓았다. 오늘까지 무게는 7kg 되었다.

여유 공간 3kg이다. 대신 사진 기록용 핸드폰 카메라 1대 추가한다. 보조 배터리도 넣어야 하지만 무게 두렵다. 대피소마다 충전 잘하면 된다.

준비 6, 생수 5. 8.

저녁 식사하며 낮에 배달된 생수병 '로고' 보인다. 요즈음 마트에서 구입하는 생수보다 인터넷으로 구입하면 저렴하니 어찌해야 좋을까? 생산지가 어디인가? 강원도 '평창수'이다.

지난 차에는 제주 한라산 생수 먹었다. 다음으로 지리산 심천수 먹었다. 백산수는 중국 쪽으로 흐르는 '백두산' 암반 수, 수입하여 먹는다.

백두산, 한라산, 지리산까지 우리나라 높은 산에 나오는 생수 고루 먹을 수 있다. 현지에 가지 않고 전화 한 번 누르면 마음대로 골라 먹을 수 있는 현실이다. 먹을 물 없어 울고 있는 사람들 뉴스 보면 감사하다.

궁금증 상승한다. 우리나라 생수 몇 종류나 될까? 검색하니 250여 종이라 한다. 그 생수 수시로 검사하는 기관도 만만치 않겠다. 우리 몸은 60~70%가 물로 이루어져 있다. 그만큼 물의 성분 중요하다.

해외 여행길에 있었던 에피소드 생각났다. 베트남 관광지 높은 산에서 케이블카 타고 내려오며 우리말 하는 사람 반가워 인사했다.

즐거운 여행 되셨나요? 여쭤보았다. 중년 아주머니 "설사 나서 망쳤어요" 그 옆에 있는 젊은 부인 얼굴 붉히며 "이모는 별말을 다 하네"

나는 천천히 낮은 목소리로 '물 갈아서 그러셨군요?' '아차, 호텔에서 양치하신 뒤 수도꼭지 물로 헹구셨군요?'

"네, 그랬지요" "왜, 뭐가 잘못되었나요?"

맞습니다. 가끔 현지 상수도 물은 우리와 체질적으로 잘 맞지 않아요. 그래서 가급적 병에 들어있는 생수로 입을 씻어야 하며 판매하는 생수 복용하면 탈이 없어요.

그 말에 조금 전 얼굴 붉히던 조카, 머리 끄덕였다. 이런 해외여행 불상사 누구의 실수였을까? 어린 시절 어머니 '물 갈아 배탈 났다' 가끔들었다.

이제는 국내에서도 집 밖에 나서면 생수 병 들고 다니는 일 당연하게 생각한다. 지리산 다니며 대피소에서는 천연 식수 공급한다. 생수 판매도 한다. 하지만 무게 감수하고 가급적 끓인 물 보온병에 넣어 마셔야 하겠다. 5.8

준비 7, 훈련

오전 중 힐링 텃밭 자전거 타고 다녀왔다. 평일이라서 그런지 한가로이 타는 아저씨들 자주 만난다. 그 뒤 따를 수 없다.

'지나갑니다' 남녀 쌍 메시지 남기며 나를 추월한다. "먼저 갑니다" 동시 경고 소리 들린다.

'네~' 짧게 응수할 때 이미 내 앞으로 힘찬 이동 지나간다. 그들의 단단한 엉덩이 근육 바라보임은 내 발에 힘 저절로 들어간다.

나도 한때 저런 시절 있었지! 휘파람 소리에 흥 절로 난다. 날이 더워지니 하루 다르게 상추 잘 자란다. 가꾸며 거두는 재미 쏠쏠하다. 지리산 종주 대비 훈련하는 날이다.

준비 8, 점검

매우 먼 길을 긴 장(長), 길 정(程)자 합하면 '장정'이라 한다.

누구는 지리산 몇 박 걸으려 하며 호들갑 떠는가? 말할지 몰라도 대피소와 기차표까지 예약된 본인은 긴장된다.

사람이 하룻밤 산속에서 안전하게 잠잔다. 다음 날 에너지 충전하여 의도한 일상으로 만드는 일 쉽지 않다. 우리는 매일의 삶이 준비된 숙식처에서 살고 있다. 긴장하지 않지만 감사해야 하겠다.

이번에 실시하는 지리산 화대 종주는 이전과 다르게 만들어 보리라. 동료 한 친구 더 늘어 셋이니 챙기는 부분 더 많아진다.

준비 과정에서 마지막까지 글 써서 블로그에 올리고 싶다. 순간 떠 오르는 '키 워드' 적으리라. 메모지와 연필 배낭 앞가슴에 매달아 놓으리라.

환영해 주는 계곡물, 산 새들 소리까지 어떻게 적어야 팩트로 적힐까? 나의 블로그 읽고 종주 희망하는 사람들에 참고될 수 있도록 기록하리라. 책 한 권 낸다는 생각으로 메모하리라.

고지대 산장에서 이른 아침 출발할 때 기온 내려갈 수 있으니 마스크 여유분까지 8 장 준비한다. 탐방 길 안내 지도, 비 내리는 순간에도 볼 수 있도록 투명 테이프로 붙였다.

노고단 대피소 1 박 후 화개재까지 6.3km 걷고 중식 한다. 이때 끓인 물 한 병 넣어가야 쌀국수 된다. 중식 후 연하천 대피소 경유 벽소령 대피소 2 박 예정지까지 7.8km 걷는다.

다음날은 6.3km 걸은 뒤 물 끓여 중식 할 수 있는 세석 대피소 나온다. 중식 후 3 박 예정지 장터목 대피소까지 3.4km 여유 있다.

장터목에서 3 박 후 일출 2 시간 전 출발한다. 1.7km 랜턴 비추며 천왕봉에 일출 맞는다.

이후 5.4km 남아있는 중산리 방향이나, 4km 치밭목 대피소 경유 중식 후 6km 유평까지 걷는 방향이 있다. 이는 천왕봉 현지에서 셋의 몸 상태 의견 종합하여 결정키로 한다.

매일 출발 전 보온병에 중식용 끓인 물 넣는다. 준비물 목록 빠짐없도록 점검한다. 이런 저런 생각하니 설렘 더해진다.

@ 주식, 부식

누룽지+ 쌀국수 9 식분, 과자(당 보충) 3 일분, 밤 양갱 3 개, 천마 차, 커피믹스 9봉, 육포 3 일분, 마른 과일(건조 바나나 3 일분) 등.

@ 장비

배낭, 귀 막이(숙면용) 1 세트, 물 끓일 코펠 2 개, 버너 1 세트, 헤드 랜턴, 선글라스, 취사 가스 1 통, 스틱, 플라스틱 숟가락, 나무젓가락 3 개, 보온 물통 1 개, 사진 전용 핸드폰 등.

@ 의류

땀수건 1 장, 가벼운 목 수건 3 장, 면장갑 1 세트, 손가락장갑 1 세트, 판초 우의 1 장, 일회용 비옷 1 장, 면 양말 3 켤레, 모자 1 개, 상의 바람막이 1, 반바지 1, 무릎 보호대 1 세트, 베게 1 (옷과 수건으로 대용), 팬티 2 장, 면 속옷 상의 2 장, 취침 이불(양모 타올 대치) 2 장.

@ 기타

마스크 4 장, 붕대, 칫솔, 바늘과 실, 핸드폰 충전기, 랜턴 충전기, 마른 화장지 15 묶음(찬반 그릇 닦는 용 포함), 가벼운 슬리퍼 1 세트(화장실 취사장 왕래용), 티타늄 물컵 1 개, 비상 약(밴드, 비타민, 타이레놀 2 정), 볼펜, 메모지, 저 체온 대비 비닐 시트, 안내 지도.

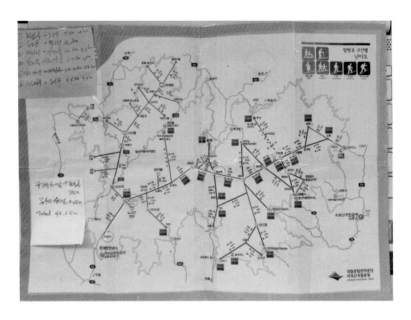

- 각 대피소에 사전 전화하여 물품 리스트 확인한다. 햇반, 생수, 양갱, 가스 등이다. 대피소별 품절되는 경우도 있다.
- 무개 줄일 수 있는 방법이다.

러블리 레터스   Rev.1. '24. 05. 10

지리산 종주 실현하며 책 내는 일 우주에 발자국 남기는 일이다. 독자 생각하며 책으로 엮어 보리라. 눈 떠보니 'N 생으로' 새로운 일터 얻었다. 또 하나의 인생 시작이다.

100 세의 시계 70 세는 오후 9 시이다. 긍정 생각은 '30 년이나' 남았다. 나는 내 인생의 경영자. 나만의 포트폴리오 지속 가능하게 하자.

나의 퍼스널 브랜딩(Personal branding) 만들자. 나만의 콘텐츠, 캐릭터, 무엇을 브랜딩하고 무엇을 만들까?

읽으며 걷고 글 쓰는 과정이다. 함께 사는 '사회공헌' 또 하나 새로운 꿈이다. 세상을 더 좋게 만든다. 배움의 길 찾는 일이다.

"Lovely Letters Co" "읽고 걸으며 쓰자" 슬로건 세우고 원하는 이웃 작가 만들자! 2018 년 6 월 구상하여 현재까지 이어진다.

CEO 미션 설정했다. 비전 제시한다. 사업영역 구체화했다. 핵심 가치 설정한다. 슬로건 세웠다. 실적 지속하여 점검한다.

'N 생으로'!

수업 과제 작성하니 내가 나 바라볼 수 있어 감사하다. 이 순간 제 3 인생 깨워 준다. 나만의 포트폴리오 수정되는 과정 감사하다.

지리산 종주 과정 책으로 내려는 '기획' 결심하는 날이다. 오전, 자전거 힘차게 굴려 힐링 텃밭 다녀왔다. 지리산 오르며 내릴 훈련이다.

D-8 5.11

지리산 일기예보 검색해 보아도 아직 나오지 않는다. 일출 시각 5 시 20 분이다. 인터넷 검색하다 우연히 눈에 띄는 머리기사 따라갔다.

"월간 산" "밑창 떨어진 아들에게 등산화 건넨 레인저(ranger), 21 년 만에 만나다." 읽을수록 흥미 더해지며 마지막에 감사의 댓글 적었다.

주요 내용은 중 고등 아들과 지리산 오르며 아들의 신발 창이 떨어지며 극복하는 상황이다.

어머니께서 등산화 신발장에 넣어놓고 오래도록 신지 않았다. 마침, 아들은 어머니의 헌 등산화 크기가 맞아 그대로 신었다.

이 상황 주시하는 포인트 있다. 고무 성분 신발 접착 부위다. 공기 잘 통하지 않는 곳에 오래 보관하면 접착 능력 저하된다. 분리되는 성질이 있다.

그래, 나의 등산화 굽히는 부분에 천이 밀려 수리했는데 상태 괜찮을까? 점검하게 한다. 아니다, 오늘 당장 새로 구입하여 몇 번 신어본 뒤 출발하리라.

비상 약과 붕대도 내 것만 챙겼는데 더 넣어야 하겠다. 혹여 다른 등산객에 주어야 하는 기회 생길지 모른다.

돌아오는 날 가볍게 신을 발가락 양말 추가해야 하겠다. 위급 시 필요한 등산객에 줄 수도 있다. 내 짐 속에 이웃 도울 수 있는 짐 넣는 아침이다.

지난 종주 때 화엄사에서 노고단 오를 때 일이다. 살고 있는 지역이 '청주'라 했던가? 그날따라 그분은 홀로 오르다 핸드폰 고장 났다. 카드 없으니, 현금도 없다. 하기야 산 오르며 현금 쓸모 있는가?

그 사정 듣고 '우리 따라오세요' 말하며 동행했다. 더 황당한 문제는 어떻게 대피소 예약 없이 올라왔던가?

관리소 직원에 "빈방 없나요?" 그이의 말 듣고 "헬기 불러야 하겠군요!"라 말했다.

그 옆에 나는 관리소 직원에 한 마디 부탁했다. "우리와 함께 올라온 분입니다, 혹여 갑자기 오지 못하는 분 있을까요! 좀 기다려 보시며 도와주세요"

달 밝는 밤 화장실 앞 마당에서 그분 얼굴 마주쳐 반갑게 인사했다. 간신히 한 자리 있어 결제했다. 고맙다고 인사하기에 "운이 좋습니다, 관리소 직원에 감사하지요"라 위로 주었다.

다음 날 아침 취사장에 그분의 버너 고장 났다. 황당한 순간이다. 내 버너로 밥 지어 주었다. 그 뒤 어느 지점에서 나의 전화번호 전해주고 헤어졌다.

그때 나와 함께 걸었던 동료 이번에도 함께한다. 그날 상황
 물어보면 더 알겠다. 돌아와 몇 번 감사 전화 받은 생각이 난다.

이웃 사촌

높은 산에 오르며 내리는 이웃들은 몇 마디 인사만 해도 바로
 친해진다. 그날도 연하천 지날 때쯤 인가? 바위에 기대고 잠시
 휴식하는 사이 한 남자분 말 건넸다.

"저쪽 분이 저의 아내입니다. 그런데 무릎 연골이 없어요"
 무슨 말씀이셔요? 농담이지요?

"아니요, 진짜입니다. 연골 없이 근육 강화 훈련으로 저보다 산을
 더 잘 탑니다" 저 보세요, 우리는 쉬고 있는데 서서 운동하고
 있지 않나요?"

그 부부 강북구 사신다고 했다. 대원사에서 헤어지며 부인께서는
 우리 연락처 받고 싶다 하였지만 아저씨의 표정이 좀 굳어 있어
 그만두었다.

산에서는 좋은 정보 교환할 수 있다. 그 뒤 '무 연골 상황' 걷기
 가능함 알았다. 독일 축구 선수들 그랬다는 자료 읽었다.

최종 등산화

위에 거론된 '밑창 떨어진 등산화' 이야기는 계속 긴장시킨다. 아침 식사하며 아내에 '새 신발 구입' 결심 제안했다.

"소뿔도 단김에 빼라'는 속담 있다. 찜찜하여 미루다가 일 나면 후회 크다. 마음먹으면 미루지 말고 바로 실행에 옮기라는 말이다.

아내의 산책용 신발도 구입키로 했다. 나는 이전에 눈여겨보아 두었던 품목 앞에서 상담하고 있다. 아내는 매장 전체를 넓게 살펴보았다.

아내가 가리키는 품목을 보니 내 손에 들고 있는 모형과 달랐다. 가격은 약간 높았지만 기능상 바닥에 요철 부위 차이가 컸다.

즉시 내 들고 있는 신발 취소하고 아내의 추천 품목으로 결정했다. 아내 아니었으면 어쩔 뻔했는가! 고마웠다.

아내는 무겁게 보인다고 걱정했다. 저울에 달아보니 이전 것과 무게 동일하다. 윗면까지 가죽으로 만들어져 방수 염려 적다. 동일 회사 제품 신게 되니 발에 적응 기간 짧아지리라.

D-7

드디어 출발 당일, 5월 20일 '하동군 화개면' 일기예보 나왔다. 기온 14/27 C, 오전 오후 해가 그려져 있다. 다행이다.

산기슭 걷는 중에 비가 오면 행동에 영향 많이 받는다. 비옷은 당연히 준비하지만, 바위에 붙어 있는 나뭇잎이나 땅 위로 돌출된 나무뿌리 밟으면 미끄럽다.

도중에 간이 쉼터 의자 등 이용하기 불편하다. 핸드폰 사진찍기 어렵다. 화면에 빗방울 떨어지면 기능 이상하게 변하며 오동작 한다.

함께 여행할 동료 카톡 방에 오전에 구입한 신발 사진 올리니 '엄지 척' 이모티콘 띄워준다.

한 친구는 스포츠 센터에서 구슬땀 흘리며 훈련하는 모습 보낸다. 양 볼에 근육 튀어나온 표정은 헉헉 산 오르는 숨소리 들리는 듯하다.

기다려, 지리산~! 우리가 간다. 각오(覺悟) 외침 소리 들리는 듯하다.

이제 얼추 준비 다 되어간다. 3단 스틱 무겁게 보인다며 둘레 길 동료 4단 스틱 선물 준다. 고산지대 오르며 내릴 때 스틱 사용은 필수품이다. 체력 안배(按排)에 유용하며 산 짐승 등 발견 시 호신용품 된다.

여러 사람 협조로 계획 이행된다. 손수 만든 누룽지와 육포 3인분 받았다. 60리터 배낭 빌렸다. 가볍고 조립 편리한 스틱 받았다. 등산화에 헤드 랜턴 등 마음 있어야 할 수 있는 일이다. 나는 어떤 도움 주며 살까! 잘 다녀오자. 5.11 오후

차별화

차별화되는 여행 만들자. 지난 차와 다른 느낌 받아오자. 남과 다른 여행 만들자. 어떻게 해야 차별화라 부를 수 있을까?

배낭 옆구리에 비닐봉지 하나 매달자. 걸으며 눈에 띄는 오물 주워 담으리라. 등산인 무거운 배낭 메고 걷는다. 자기도 모르는 사이에 배낭이나 주머니에서 비닐봉지나 휴지 한 장 나올 수 있다. 뒤 사람 입장에는 오물이 된다.

지난 차에는 주워 내려오는 오물은 관리소에서 중량 검측 한다. '그린 포인트'라 선물 주던 제도 있었다. 그 뒤 나의 실적 폐지한다는 메시지 받았다. 별로 효과 얻지 못했나 보다.

그래도 나는 이번에 우리 팀 시도해 보리라. 포인트에 연연하지 않으리라. 내가 걷는 그 길은 누군가 따라 기분 좋게 걸어야 하는 길이다.

또 하나 차별화는 준비 과정에서 마치는 순간까지 팩트 중심으로 기록하리라. 사진과 함께 책으로 엮어보면 어떨까? 처음 오려는 사람들에 도움되면 좋겠다.

이 마음 염두(念頭)에 안고 여행하면 보이는 각도 넓고 깊어 지리라. 순간 귀하게 여길 것이니 스스로에 유익하다. 또 무슨 차별화 만들까? 설레는 하루다. 5.12

3박 4일 동안 동고동락(同苦同樂)할 친구들 서로 의견 나눈다. 주변의 비슷한 나이 또래 근래 지리산 다녀온 경험담 경청해야 한다. 준비하고 있는 무게 '12kg'이라고 하니 펄쩍 놀란다. 무조건 10kg 이하로 맞추라 한다.

고민하다 불현듯 생각 떠 올랐다. 대피소마다 창문 있는 방이다. 고산이라 하지만 밤 온도 10도는 넘을 것이다. 침낭 무게 1.5kg 만만치 않다. 오리털 겨울 바지 0.5kg 이다. 3일 동안 매고 다닐 1kg 고려해야 한다. 부피 또한 줄어들어 나뭇가지 뾰족한 바위 등에 걸릴 확률 적어진다.

D-6, 모의 훈련 5.13

걸으려 나서는 준비 중에 사소한 것 같지만 필수 팁 하나 소개한다. 발톱 손질이다. 양말과 신발 속에 숨어 있어 보이지 않는다. 발걸음 힘줄 때마다 발가락 중심 잡는다. 너무 길면 짓 눌려 상처도 난다.

새 등산화 발에 익혀야 한다. 흔한 말로 '길들이는 일'이다. 모래 등 이물질 들어가지 않도록 토시(패치) 중요하다. 걷다가 이물질

들어가면 멈춰 털어내는 시간 동료들과 거리 떨어지거나 기다리게
할 수 있다.

　신발장 앞에서 아이처럼 좋아라! 스스로 사진 찍는 모습 아내가
바라보며 웃는다.

　큰아들이 준비해 준 새 배낭 속에 아내의 '김치 김밥' 넣었다.
따스한 보온 물병 옆에 수제 밀 음료 한 캔 넣었다. 시원 대신
이열치열(以熱治熱)이다. 맛이 어떨까? 궁금하다. 결과 좋으면
지속하리라.

　봉산 앵봉산 능선 오르며 내릴 계획이다. 봉산정에서 북한산,
안산 바라보며 점심상 홀로 차리면 앵무새 노래해 주겠다.

　쉬엄쉬엄 급하지 않도록 새 신발 길들여야 한다. 무리하면 안
된다. 병사 전장 나서는 기분이 이러 한가? 지하철에서 책 읽기
대신 메모한다.

　지하철 한가한 아침이다. 경로석 맞은편 할머니 한 분, 찬 바람에
깊은 기침 '콜록, 콜콜 록' 하신다. 앞자리 할아버지 손 지갑
뒤적이며 마스크 묶음 찾아 두 장 건넨다. 그리고 말없이
하차하신다.

　내리는 할아버지 팔 만지며 좋은 일 하셨다 박수 드렸다. 수줍어
고마워하는 할머니, 할아버지 내린 뒤 나 바라보며 웃으신다. 나는
'엄지 척' 드리니 방긋 인사한다.

　맨발로 걸어오는 분 왼쪽 흙 길로 다가온다. 내가 등산화
신었으니 뾰쪽한 돌길로 옮겨 걸었다.

전망대에 멈춰 잠시 북한산, 안산 바라본다. 순간, 중년 신사 내 모습 보며 말을 건다.

"복장이나 걸음걸이가 전문 산악인 같아요!"

감사 인사 목례 대답하며, 사실 오는 주 월요일 지리산 오르려 합니다.

깜짝 반기며 "그러면 그렇지요, 내 점쟁이라고요." 말하며 웃는다. 농담도 재미있게 한다.

나는 6년 차 서울둘레길 걷고 있다. 이런 아름다운 역사 환경 "세계 어느 나라 없다." 자랑하며 권했다. 선사시대부터 현대까지 역사와 생태 문화 유적 등 보며 느낄 수 있다.

두 분은 궁금증 물었다. "몇 박 하려 느냐?" "어디서 잠자느냐?" "어떻게 정하느냐?" "누구와 가느냐?" "코스 길 정보 어디서 구했느냐?" 대충 이 정도 물었다.

길 정보는 '국립공원 홈페이지' 들어가면 코스별 지도 보인다. 그걸 다운받는다.

가려는 대피소별 원하는 일정에 '예약'한다. 이때 1인당 2개소까지 제한된다. 한 사람 예약할 때 한 사람 대동할 수 있다.

대피소에 비치된 '품목 정보' 알아두면 좋다. 기타 준수해야 하는 사항 사전에 익히면 재미있다. 예를 들어 비닐 한 조각도 버리지 못한다. 비누와 치약 쓰면 안 된다. 그릇도 퐁퐁 사용하면 안 된다.

높은 산, 먼 길은 둘 이상 동행하면 위급 시 도움된다. 만일 홀로 갈 수밖에 없는 경우는 현지에서 다른 일행 따르는 방안도 지혜로운 일이다. 이상 말하고 나니 안내원 된 듯 으쓱하였다. "잘 다녀오라" 말해 준다.

아카시아꽃가루 사뿐 밟고 오르며 내린다. 우리 삶 오르다 내리며 하늘과 땅 바라보는 것인가! 반가운 까치 귓가에 노래한다. '뚜 뚜 뚜뚜 투' 연 박자 노래하는 저 새의 이름은 무얼 까?

입구(口) 안에 큰대(大)자 결합하면 인할 인(囚)자 된다. 침대에 사람이 큰대(大)자로 누워있는 모습이다. 그 밑에 마음 심(心) 합하면 은혜 은(恩)자 된다. 넓은 의미 '은혜, 인정, 온정, 혜택, 사랑하다, 자비 베풀다, 감사하게 여기다.' 등 사람 소중히 여기는 뜻이다. 평평할 평(平)자 합하니 은혜의 바다 같구나!

면(面) 단위 고을이 구청으로 성장했다. 은혜 신선한 꽃 향 속에 녹아 스민다. 휴식 30 여 분 포함하여 4 시간 소요되었다. 10km 산길 새 신발에 포근한 입맞춤이다.

D-5 배수진(背水陣) 5.14

오! D-5, 기다리세요! 내가 가요. 지리산~! 두근두근 설렘 커진다. 반가워! 3 일 동안 매고 다닐 무게 얼추 마무리된다.

빌려온 새 배낭보다 다소 적고 낡았지만 내 배낭에 짐 넣는다. 그래야 마음 편하다. 대피소에서 숙박하니 침낭 대신 오리털 바지와 조끼로 대치한다. 1kg 무게와 부피 줄어들며 배낭 크기 적어진다.

두터운 비닐봉지 바람 넣으면 즉석 베개 만들어진다. 비닐도 무거우니 옷 묶음으로 대치한다. 배낭 1.5kg, 의류 2.5kg, 주식 3.0kg, 버너 코펠 1.5kg, 기타 1.5kg, 합계 10kg 되니 당초 계획대로 된다. 우리 일상 이런 걱정 없으니 감사하다.

어제는 '누룽지와 쌀국수' 끓여 아내와 시식해 보았다. 맛이 어떨까? 포만감은 어떨까? 시간은 얼마나 소요될까?

아내의 결론은 '허술하다' 대답이다. 김치와 멸치 볶아주겠다. 걱정하는 모습에 대피소 여는 시간 잘 맞추면 '햇반' 구입할 수 있으니, 걱정 덜 수 있다고 말했다.

핸드폰 베터리 충전기는 필수품이다. 가볍고 신속히 되는 신 상품으로 구입하리라.

생활 속 한자, 케이 묵 11 과 학습했다. 조선 최고의 독서광은 누구일까? 백곡(栢谷) 김득신(金得臣 1604~ 1684)선생 이라고 한다. 조선 중기의 시인이었다. 59 세에 과거 급제하니 대기만성(大器晚成) 사례이다.

다산 정약용 선생도 여유당 전서에 적었다. '문자 만들어진 이래 상하 수천 년과 종횡 삼만 리 통틀어 독서 부지런하고 뛰어난 이로는 백곡 제일로 삼는다'

온고지신(溫故知新), 이 시대 진정한 공부는 무엇인가? 논어에 나오는 "애써 알려고만 하는 자, 그 아는 자체를 좋아하는 자, 이보다 더 나아가서 아는 것 자체를 넘어 '즐길 수 있는 자'이다.

지지자불여호지자(知之者不如好之者)
호지자불여락지자(好之者不如樂之者)

아는 것은 좋아하는 것만 못하다. 좋아하는 것은 즐기는 것만 못하다.

'사기 백이열전(伯夷列傳)' 11만 3천 번 읽었다. 다독을 기념하려는 의미로 본인의 서재 이름을 '억만재'라 작명했다.

그의 묘비명에 새겨 놓은 글이다.

"나처럼 어리석고 둔한 사람도
이 세상에 더 없겠지만 나는 결국 해냈다.

모든 것은 사람 마음먹기 달려있다
노력하는 데 달려있다."

눈 떠보니 'N 잡러(다중 직업 자)' 중 장년 인생 다모작 프로젝트 수업이다. '나 주식회사' 만들기에 '러블리 레터스 Lovely letters'라 명명했다.

좋을 호(好) 배울 학(學)이다. 인류는 '호모에렉투스에서 호모 하빌리스 거쳐 호모사피엔스 시대로 변천했다.

공부하는 인간, 호모쿵푸스, 쿵푸스는 중국어 발음
공부(工夫)에서 나왔다. 발걸음 가볍다.

공부하는 짬짬이 지리산 걸을 공부 생각 났다. '읽고 걷고 쓰자'
삶의 지표 만들자. 마음먹은 일에 실행하면 즐거움 된다. 5.14

D-4 책 이름 뭐가 좋을까? 5.15

생각하면 두근두근 먼 길 설렌다. 상상하면 발바닥이 근질근질
기분 좋다. 뇌의 신경세포 시냅스 기능일까?

아내 중요한 필수품 하나 내 민다.
약국에서 받아온 비닐 봉투이다.

"이걸로 식사 준비 물통 하세요"
맞다, 하마터면 잊을 뻔했다.

어느 대피소는 우물이 멀리 있어
길어와야 밥 짓는다. 그 때 플라스틱
통은 무거우니 비닐 주머니 하나면
가볍게 해결된다. 전차 나의 경험담
이야기 듣고 챙겨준다.

새벽녘 목이 약간 '쎄'한 느낌이니 오전 중 감기 검진하려 한다.

아내의 염려로 3 일 동안 복용할 비타민과 '공진단' 3 알, 비상 약 옆에 넣었다. 수면양말 넣었다. 취침 시 다음날 신을 새 양말 위에 겹 신으면 이불 기능 충분하다. 감기는 목과 발에서 시작한다. 순수 내 지론이다.

어제 'N 생러' 수업 받았다. 중, 장년 새로운 일자리 어떻게 창출할까? 우주에 나의 발자국 어떻게 남길까? 글 써 책으로 펴는 것이다.

수업 후 귀한 회식 자리다. 오는 주 화요일 수업에 빠지게 되는 나의 지리산 여행 계획 이야기 나왔다.

'지리산 종주, 글 쓰러 간다'고 압축 설명했다.

모두는 축배의 잔 올리며 격려 주었다. 이전에 입었던 '작가' 티 입기로 했다. 작가 티 입고 천왕봉 기념 석 껴안아 의미 새기리라.

무슨 계획이든 날짜(D-Day) 정해야 긴장 압박 받는다.
목표 정해야 설렌다. 하고자 하는 일에 과정, 기한 등 세분화
  정하면 공정표 된다.

서구 사람들 정원에 꽃 나무 하나 심으려면 항목, 날자, 기간, 서로의 연관 순서 고리 등 세부 공정표 세우는 일, '70 년대 보았다.

그 때 웃으며 뭐, 이리 자상하게 나열하며 번거로이 수행하나! 비웃었다. 시간 지나며 점차 '그들이 맞았다' 믿음 되었다. 그래서 달나라에 먼저 착륙했다. 과학 경제 선진국이다.

지리산 가는 일 뭐 그리 대단하다고 설레는가?
생각하기 나름이다. 의미 새기며 발자국 남기는 일이다. 우주에
남길 수 있는 발자국은 무얼 까? 단호하게 말한다.

정답은 '책 내는 일'이다. 너무 쉽다고? 책이 뭐 그리 대단하냐?
물으면 이렇게 답 주리라.

인류가 글 만들기 전에 그린 벽화 있었다. 기록이다. 그 시절 삶
상상할 수 있다. 동물, 칼, 구름 산 등 신기하다.

이 세상 기록 물, 책 중에 유익하지 않은 책 보았는가?
이웃 괴롭히는 방법 가르치는 책 보았는가? 유치원 아이들
그림책에서 공자, 맹자, 성경 불경 등 책 모두 보자. 모두가 감동
주는 가르침이다.

귀한 한 날, 삶 기록하면 누군가 뒤에 오며 읽을 수 있다.
누구인가! 새겨 놓은 벽화처럼 '우주에 발자국' 찍어놓은 장표이다.

'부의 진정한 가치는 내 안에 쌓인 역량의 가치이다' 어제 수업한
'우주 발자국, 글쓰기 N 샘러'에서 새겼다.

결국 나의 기록은 우주에 발자국 남기는 일이다. 기록하지
않으면 기억되지 않는다. 아무것도 하지 않으면 아무 일도
일어나지 않는다. 책을 쓰면 내가 누군인지 알게 된다. 당신이 쓴
글이 곧 당신이다.

글을 쓰는 사람의 뇌는 점점 새로워진다. 90 세에도 글 쓰는
사람의 두뇌는 계속 새로워진다. 치매 걱정 없다.

주역에 나오는 '학문의 유래' 라는 글이 있다. '군자, **학이취지(學以聚之), 문이변지(問以辨之)**' 군자는 배움으로 지식을 모으고 물음으로 모은 지식 분별한다.

내가 배워 익혀 좋아하는 문구다. 논어 첫 구절 **'학이시습지 불역열호아'** 바로 나온다. 배우고 또 시대에 맞게 익히어 적용하면 즐겁지 않은가!

지리산 종주 앞두고 기행문 책 내고 싶어 광고했다. 멋진 이름 지어줘야지, 공모하고 싶다.

"천왕봉 어떻게 갈까?" "천왕봉 가이드" "지리산 3 박 4 일" "지리산 종주" "지리산 화대종주" "지리산 고희 친구" "우리 한번 가볼까! 지리산?" 등 다양하다.

팩트 생각하며 자세히 쓰리라. 사진 구도 신경 쓰리라.

D-3, 훈련 5.17

서울둘레길 지속으로 걷고 있는 동료들의 응원에 힘 받는다. 누룽지 만들어준 동료, 배낭 빌려준 동료, 육포와 가벼운 지팡이, 낙타 표 양말 준 동료 모두 합류하였다.

구파발역에서 가양역 향하여 걷는 계획이다. 역에 올라가자마자 한 동료 내 복장 바라보며 '신발 바뀌었네요?'

그 말 하며 바로 내 신발 앞 부위 한 발로 밟는다. 당황하는 나를 보며 '모두 밟아 줘 ~!' '그래야 안전한 여행이 되지!' 말 떨어지자 말자. 한 발 씩 차례로 밟는다.

이는 산행 즐기는 사람, 일명 '마니아(mania)들이 새 신발 신은 동료에 안전 기원하는 '의식(意識)'이라 했다.

당하는 본인의 입장에서 보면 '안전' 빌어주는 말에 불쾌감 사라지고 감사한다. 신발 얼굴에 자국 생겼어도 '고마워요' 인사한다.

짐은 몇 킬로나 되는지? 식사 메뉴 바뀌지 않았는지? '고지대 올라가면 체온 떨어지니 대비해야 한다'는 등 경험담 걱정해 준다.

그 말 들으니, 리스트에 제외된 응급 담요 넣어야 하겠다. 나만의 저온은 가볍고 따스한 오리털 옷으로 준비했지만, 혹여 다른 등산객 중 한 사람이라도 '저 체온' 대비하지 못한 분 만나면 도와주고 싶다.

'응급 담요(Emergency Survival Blanket)'이다. 비와 눈에 몸 온도 90% 보호할 수 있다는 설명서 읽으니 든든하다. 비닐로 만들어져 아주 가볍다.

봉산 앵봉산 능선 9.1km 걸은 뒤 증산체육공원 밑에서 인증 스탬프 쿡 찍는다.

공중화장실 입구에 잠시 쉬라, 소파 놓여있다. 문 여는 순간 바이올린 교향곡 흐른다. 깨끗한 설비에 철 따라 흡족한 마음이다. 어느 나라 어느 공원에 이런 설비 갖추었을까? 자부심에 피로 풀린다.

주택가 자주 다니던 식당 주인 반겨준다. 이 식당은 쌀 발효 음식 주문하면 그 때 밖에서 사다 준다. 가양역까지 남은 거리 7.7km 지리산 '먼 길 과로하면 안 된다' 동료들 마침표 합창이다.

목이 컬컬하다. 집 가까이 다니던 병원에 들러 목 감기 주사 한 대 쿡 맞고 처방 약 받았다. 이 대목에 감기라니? '이겨내라' 과제 주는 듯하다.

약 받자마자 한 봉지 뜯었다. 선물로 주는 음료수로 목에 넣었다. 감기 바이러스 안고 가면 안 된다. 대피소 한 공간에 여러 사람 잔다. 어떤 일이 있더라도 약 복용 잘하고 바이러스 없앤 뒤 가야 한다.

약사의 주의 사항 "저녁 분은 9시 반에 꼭 드세요." 고개 끄덕였다. 네, 알았어요, 묵시의 대답이다.

약사에 물었다. '약 복용 후 시원한 맥주 한잔하면 안 되나요?' 등산복 차림의 내 모습 보며 두 분 웃으신다.

"딱 한 잔은 괜찮아요" "그 대신 집에서 하세요!" 어찌 아내의 걱정 알고 있는 듯 꾸벅 감사하다 인사했다.

봉수대 앞에서 지리산 오르는 생각으로 기념사진 담았다.

출정식(出征式) 5. 17.

'일정한 목적을 가지고 집단행동 시작하기 전에 하는 공식적인 모임' 출정식이라 한다. 고희 넘긴 우리 셋은 지리산 화대 종주 3 박 4 일 준비하고 있다.

각자 나름대로 짐 꾸리며 준비운동 하고 있다. 내일은 동료와 가볍게 수서 대모산에서 양재 시민의 숲까지 걷기로 했다.

준비하는 과정 글로 전하지 못하는 이야기까지 시원하게 나누리라.

'먼 길 떠나는 남편을 위해 '염소탕으로 영양 보충해 주고 싶다.' 아내는 이웃과 걸으며 이런 이야기 나누었다. 그분의 의견은 그런 방법도 좋지만, 가락 농수산 시장이 가까우니 장어 1kg 준비하여 집에서 구워 드는 방법을 제안했다.

그 의견에 양손 들고 환영했다. 배낭 매고 가락시장 다녀왔다. 1kg, 펄쩍 뛰는 두툼한 놈 두 마리 올라간다. 한 끼에 한 마리 구우니 둘이 충분했다. 같은 액수 돈이라도 어떻게 쓰는가? 결과는 다르다. 수고하고 땀 흐르는 일 만큼 대가 나온다.

국제 구호 활동가 한 비야 씨 '걸어서 지구 세 바퀴 반' 펴낸 책 모두 읽었다. 그 뒤 어느 자리 생기면 한 토막 인용하며 자랑한다.

'훌륭한 한국의 딸'입니다. '존경합니다' 그분 국토 종주 나설 때 오늘 나 같이 사전에 영양 충전하고 나섰던 이야기 없다. 그러므로 나는 감사하다.

'국토 종주' 검색어 넣으니 올해 80세로 지리산 종주 다시 도전하는 보도 여행가 '황 안나' 씨 소개된다. 옛날부터 국토 종주했다는 이분의 책도 읽었다.

누구나 걷는 일은 소중한 일이다. 출정식 의미 새기며 이전에
참고 자료 찾아 새긴다.

가락동 생선 시장 길가에 나팔꽃 어서 오라 방긋 웃었다. 초점
맞추는 순간 벌 한 마리 사뿐 포즈 취해주고 바쁘다 떠난다.

좋은 날 출정 준비 잘하라 인사 남긴다. 5.17.

D-2, 최종 점검 5.19

감기약 복용 확실하게 한다. 년 중 감기 한 번 들지 않는 나에게
이게 무슨 시련인가! 속으로 많이 떨었다. 이젠 목에서 가래도 전혀
없고 목소리도 맑다. 처음부터 몸에 열도 없고 통증도 없다.

하지만 잠자고 나면 잠옷에 땀 축축하다. 가끔 헛기침 나온다. 그
때 물 한 모금 마시면 가라앉는다. 그래도 많이 긴장된다.

오늘은 함께 걸을 동료와 마지막 훈련 날이다. 수서 대모산
대신에, 구파발역에서 출발하여 북한산 기슭 걷자 한다. 약간의
긴장 보약 되리라. 운동선수 경기 전 몸 푸는 가벼운 영상
상상하며 걸었다.

그제 새 신발 동료들 밟아주던 이야기하니 휙 돌아 웃으며 내 발 밟는다. 걸음 띄어 놓을 때마다 검정 신발 위에 친구 발자국 보인다. 그래서 안전 기원인가 생각되어 미소 지며 싫지 않다.

꽃 바람 오전 숲길은 차가워 가끔 마스크 착용했다.

토요일이라서 그런지 단체로 걷는 팀 많다. 오르며 내리는 산길에 한참 동안 걸음 멈춰 양보해 주었다. 지나며 고맙다는 인사 없어 씁쓸하다.

우리 민족은 '실례' '탱큐' 입에 달고 사는 외국인에 비하면 무뚝뚝하다. 웅변은 은이고 침묵은 금인가? 올라오는 어느 젊은 이 비좁아 서서 비켜주는 내 어깨 툭 치며 '미안하다' 말없이 씩씩하게 지난다. 그들은 군중심에 몰입되어 있다.

중간 지점 구기동 '장모님 해장국'에서 시원한 국으로 허기 달랬다. 수저 내려놓자마자 쉼 없이 걸었다. 양팔 속 옷 사이 흐르는 땀방울 차가움 느꼈다.

지난 차 평창길 지날 때 우편배달 아저씨 이름표에 '이 씨' 한 말 생각났다. '자기는 이곳에 몇 대 차 살고 있다.' '기(氣)가 세어 누르려고 절을 많이 지었다.' 그 말 듣고 우리는 웃으며 '처음 들어요' 합창했다. 이분이 쓰는 한자는 기운 기(氣)자일까? 터 기(基)자일까?

지리산 백무동(百武洞) 입구에 지명 설명하는 설화 간판 보았다. 옛날 천왕봉 여신을 받드는 백 명의 무속인이 기도하며 살았다고 적혀 있다. 조선 팔도 무속인들 배출하는 근원지 되었다. 그래서 땅 이름도 무당 무(巫)자에서 안개 무(霧), 호반 무(武)자로 시대에 따라 변천했다.

기운 기(氣)자 '기가 세다'는 말은 자기 주장이 강하다는 의미이다. 영어로 'spirit, energy'라 말하며 눈에 보이지 않으나 오관으로 느껴지는 현상을 의미한다. 산에서 물이 흐르며 경치가 좋다는 의미도 될까!

천왕봉 1,915m 표석 뒷면에 새겨진 '한국인(韓國人)의 기상(氣像) 여기서 발원(發源)된다'가 적혀 있음 보면 '기운 기(氣)자 맞다.

기(氣) 받는다. 말 나왔으니, 한의학의 바이블 동의보감 (東醫寶鑑)에 천원(天元)의 일기(一氣), 굳세게 하는 말은 무슨

의미일까? 물(水)은 불(火)을 내리게 하니 원기(原氣) 든든히 해야
한다.

   삼각산 평창길에는 절도 많고 개신교 기도원도 지난다. 우뚝
세워진 아름드리 향나무 울타리에 향기 그윽하다. 개량종 인동초
꽃 사진 담아 동료에 보여주었다. 5월의 대명사 장미 만발했다.

   아카시아꽃 다음으로 찔레꽃 개똥벌레 꽃이라 동료 입 맞춘다.
   이번 우리 여행, 책으로 낼 거라는 이야기했다. 친구 좋아하며
무슨 이름 좋을까? '우리 안아주는 지리산' 어떨까? 바로 메모
남겼다. 이렇게 방송해야 책 내는 힘이 된다.

   "안아 줌" 보다 더 의미 깊고 넓은 "품는다" 어떨까?
   "우리 품는 지리산" 키 순으로 백두산, 한라산 다음으로
지리산이다. 경남, 전북, 전남까지 3도 한 점 되는 표지석 밟게
된다.

   형제봉 갈림길 지나 내려오는 길에 딱따구리 새의 생애 소개하는
자리이다. 마지막 물병 비우며 갈증 달랜다.

   친구에게 조용한 목소리로 또박또박 이야기했다. "이렇게 갈
때마다 나서는 과정은 기대와 설렘으로 가득하다" "막상 가서
몸으로 부딪쳐 이루면, 별거 아니네~" 하지만 성취감에 자신감
얻게 된다.

   도란도란 북한산 보국문역 닿았다. 17km, 5시간 다소 묵직한
훈련 마친다. 내일은 푸 욱 쉬며 마지막 짐 꾸려야 한다.

배낭 무게 최소한 가볍게 따스한 침낭 빼자. 공통 생각이다.
5.18

D-1, 태풍의 눈 5. 21.

나는 '80 년대 대만에서 지구 태평양 상공에 뜨는 '태풍의 눈'을 보았다. 우주에서 관찰하는 지구의 구름 변화 모습이다. 시시각각 변하며 이동 속도와 크기 등 구별하여 '태풍'이라 이름을 붙인다.

우리는 그 길 기상정보 들으며 피해 대비한다. 일에 선 후 공정 세운다.

태풍의 중심부는 눈 동자 부릅뜬 순간 같이 조용하며 무섭다. 주위만 요동치며 시끄럽다. 세상 만사 권력도 비슷한 모양이다.

차분히 짐 정리하며 무게 달아본다. 아들이 사 온 찐한 곰국에 장어 구이 영양 섭취한다. 적당한 휴식은 체력 증진 효과 가져온다.

그동안 블로그에 올렸던 글 모아 원고 정리한다. 꼭 넣고 싶은 사진 제외하니 40 여 쪽 된다. 첫 글 맞춤법 검사하니 지적 많이 나온다. 이런 글 읽고 댓글 주셨군요. 이웃에 부끄러웠다.

동료 대피소 예약 현황 카톡으로 최종 점검한다. 가슴 두근거린다. 지금 잘못됨 발견되면 어쩐란 말인가?

지난 차 화엄사에서 예약 없이 우리 따라 노고단 대피소 오르던 사람 이야기 D-8 에 적었다.

이번 우리는 노고단, 벽소령, 장터목 세 대피소 숙박한다. 한 사람당 2 개 대피소 예약 가능하다. 한 대피소에 본인 외에 한 사람 추가할 수 있다. 좀 어려운 수학 문제다.

우리 셋 중 한 사람이 이 수학 문제 풀었다. A, B, C 세 사람이다. 3 대피소별 이어지는 날짜가 있다.

A 는 노고단 2 명, 벽소령 1 명, B 는 노고단 1 명, 장터목 2 명,

C 는 벽소령 2 명, 장터목 1 명, 예약 후 각자 대금 결제 완료했다.

검증은 각 사람 3 명분 대금 지불하면 정답이다. 대피소에서 각자에게 확인 메시지 보내준다. 이 수학 숙제 풀며 고소하다.

참기름만 고소한 게 아니고 한 발짝 물러설 수 없는 때에 어려운 문제 풀리면 그런 맛이 난다. 남들은 '이웃 논 사면 배가 아프다' 말하지만 진정한 대답은 성인에 물어봐야 한다.

제3화 실행

종주 첫 날 5.20 일

드디어 새날 밝았다. 반가운 소식은 목적지 일기예보 '해' 가
떴다.

아내, 일어나 '우물우물 침으로 삼키라' '공진 단 한 알 입에
넣어요' 권한다. 무게 부피 나지 않는 건강 보조식품 잊을 뻔했다.

밑반찬으로 들깻잎 피클 링에 멸치볶음 넣어준다. 0.5 리터 물 한
병 넣어 팩 마무리하니 12kg 된다. 아내 "어디 내 한 번
들어볼까?" 아예 들지도 못하며 얼굴 붉어진다.

어젯밤 왠지 땀 흘리며 잤다. 샤워하고 몸 말려야 하겠다. 3 일
동안 땀 흘리며 씻지 못할 일 사전 대비한다.

동내 시끄럽다. 아들, 손자, 손녀 "잘 다녀오세요" 전화 온다.
아마도 엄마 아빠 나누는 이야기 듣고 전화한 듯하다.

아내 이웃과 전화하다 핸드폰 바꾸어 준다.

"먼 길 안전하게 잘 다녀오세요" "언니 옆에는 아들보다 내가 더
가까이 있어요. 차도 있어요. 뭔 일 없겠지만 걱정 말고
다녀오세요" 이 말 듣기만 해도 든든하다.

아내, 이웃과 잘 살고 있다는 증명이다. 이런 이웃 있어
감사하다. 나도 이런 이웃 다지려 오늘 친구 셋이 여행한다.

수서역에서 여수 행 열차(SRT)
오른다.

12시 50분, 구례역 도착하여 택시
이용했다. 인터넷에 올라온 거리
적용 요금과 같다는 나이 지긋한
기사 분 설명이다.

앞에 보이는 사성암, 산 설명도 해준다. 셋이 만 팔천 원이면
기다려야 하는 버스에 비하여 부담이 적다.

화엄사 입구 근처에는 식당이 없다. 공용 터미널 부근이라 차를
세운다. 주위 보아도 터미널은 아니다. 일단 식당 간판 보며
들어간다. 험산 짐 매고 올라야 하므로 일꾼 잘 먹어야 한다.

'지리산 흑 돼지' 간판이다. 고기 불판에서 익는 사이 옷들
갈아입는다. 반 바지에 얇은 티 챙겨 입고 건배 호흡 맞췄다.

화엄사 입구까지 2km, 전화 택시 거절한다. 아마도 요금제 받았다가 오는 손님 없으면 손해 볼 것이다. '왕복 요금 지불하겠다' 제안 없었나 보다. 우리는 씩씩하게 걸어 올랐다.

안내지는 해발 820m, 화엄사에서 노고단 대피소 해발 1,500 여 m 까지 7km 로 4 시간 소요 예상된다.

우리 최종 목적지 천왕봉까지 32.5km 라 가리킨다. 아마도 직선거리인 듯하다.

지리산 화엄사 앞 14 시 25 분 도착이다.

30 여분 오르는 중 노고단 대피소에서 예약된 친구에 전화 확인 걸려온다.

"지금 어디쯤 오느냐?" '화엄사 출발했다'는 대답에 "서두르라" 한다.

그 말에 우리 걸음 바빠진다. 길가 안내판 '새들의 소리는?' 읽어보다 하지만 시간 줄이려 사진 담았다.

붉은 머리 오목눈이 '배~ 배~ 빼~', 오색 딱따구리 '크으 크으', 쇠 딱따구리 '찌르륵 찌르륵', 동고비 '찌이 찌이', 쇠 박새 '삐이 삐이' 소리한다.

QR 코드 마크에 핸드폰 접속하면 소리 들을 수 있지만 갈 길이 바쁘다.

찌르륵 찌르륵, 올라갈수록 계곡 물소리 깊어지며 폭포 되어 요란하다.

새소리만 가끔 들린다. 아, 이래서 눈 감고 새소리 들어보라 했구나!

물소리, 새 소리, 바람 소리, 내 호흡소리, 뚜벅뚜벅 땅 구르는 내 발걸음 소리 가득하다.

누구 먼저 '좀 쉴까?' 이 말 외에는 말이 없다. 군 훈련병 시절에 교관 하던 말 생각났다. '구령 불러주는 우리는 더 힘이 든다' 말소리에 에너지 소모됨이다.

한 시간쯤 올랐는데 해발 801m(?)라면 누군가 착오하고 있다. 화엄사에서 노고단(老姑壇)고개까지 거리 계산은 7km 맞는 계산이다.

이제 중재 820 올랐다.

　이정표 만나면 반갑다. 물 섭취해야 한다. 나는 사진 찍고 친구는 물 마신다. 땀으로 다 나와 비뇨 없어도 된다.

　3시간 반쯤 올랐을까! 쉼터 길이 나온다.

    한 동료 두 손 벌려 하늘 바라보며 '벌러덩' 풀 섶에 눕는다. 이때 '집지양개(執之兩個) 방즉우주(放卽宇宙)' 말 바로 나온다.

    두 발까지 하늘 향해 벌렸으니 양개를 사개(四個)라 해야 할까? 속으로 웃으며 "사진 찍을까?" 다가갔다.

    "괜찮아~" 찍는 나도 똑 같은 상황이다.

    동병상련(同病相憐)아닌가!

　차량으로 성삼재(性三재)까지 이동한 사람들도 있다. 마한 시절 세 성씨 장군이 지켰다고 하는 이름이라 한다. 지방도 861 호선에 성삼재 휴게소가 있다. 성삼재에서 걸어 이곳 '무넹기' 지나 노고단까지 4.7km 거리이다. 흙과 모래 자갈 등이 교차한다.

　비교적 넓고 평탄하다. 남녀 노 소 누구나 1 시간 정도 걸으면 편안하게 이용할 수 있다.

　'무넹기' 지나는 사람들 몇 시간 만에 처음 만나 반가웠다.
　이 높은 산 위 양 길섶 골에 물이 흐른다.
　　　　　화엄사에서 7km, 높이로 계산하면 직선거리 약 700m 올랐다.

걸음마다 바위와 돌 높고 낮다. 험한 바윗돌이다. 스틱 의지할 위치에 눈 잘 정하고 내려야 안전하게 힘 분배할 수 있다. 양지팡이 의지하니 네 발로 걷는 사람 되었다.

대피소 도착한다. 예약된 신분증 확인 후 잠자리 배정받는다. 일단 배낭 잠자리에 넣고 취사장에서 저녁 식사 준비한다.

산 오르다 보면 이런 사람 저런 사람 만난다. 이 말은 외롭지 않은 길벗 만들라는 말이다. 취사장 탁자 옆에 우리 나이 또래 남자 4 명이 자리 편다. 내가 먼저 '우리는 장터목 대피소까지 가려고 한다.' 인사 청했다.

자기들도 친구 사이며 같은 코스라 했다. 반가움에 '좋은 이웃 되자' 크게 말했다. 잠자는 대피소들도 우리와 같아 더 반가웠다. 서로 돕고 사이좋게 지내면 스토리 있는 여행 만들 수 있다.

지난 여름 비 피해로 대피소 많이 훼손되어 새로 증축하였다. 태양광 발전 현황 든든하게 보인다. 발전량 충전하여 각 방으로 난방 공급해 주나 보다.

아내에 먼저 안전 도착 보고한다. 설비 이전과 많이 개선되어 자랑했다. 저녁노을 여유 있게 담았다.

그 순간 옆에 선생님 한 분 학생들에 핸드폰 열어 사진 기술 가르쳐주고 있다. 옆에서 들으니 '프로 모드' ISO, SPEED, FOCUS 등 전문 수준 기능 설명에 주고 있었다.

나도 말미에 선생님께 한 수 여쭈어 배웠다. 이 정도 설명으로 보면 고등학생 이상의 수준이다. 학생들 질문하고 답 들을 수 있으니 좋겠다.

혼자 편리하게 이용할 수 있도록 독방이다. 방마다 전기 히터 설치되어 있다. 온도 각자 조절할 수 있다. 처음에 30 도 올려보니 땀이 난다. 24 도 세팅한다. 결국 22 도 낮추어 속옷만 입고 잤다.

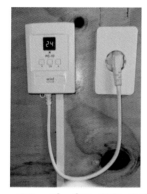

따끈따끈 싸우나 방에 들어온 듯하다.
방마다 개별 환기창 설치되어 있다.
방마다 핸드폰 충전 콘센트 있다.

들어와 유리 창문 닫으니, 방충망에
커튼까지 가릴 수 있다. 옛날 넓은 한
방에 여럿이 자던 생각 아, 옛날이다!

12kg 짐 매고 끙끙 올라온 근육 지진다. 독방이라서 조용하다.

이 글 수정하는 시간은 잠이 깨인 새벽 2 시이다. 너무 더워 온도
낮추고 상의 하나 벗어 바닥에 깔았다. 이곳에 들어왔을 때는
허벅지 근육에 쥐가 났는데 이젠 다 풀렸다.

맑은 공기 좋은 환경 덕분이다. 어제 저녁 식사 후 따끈하게
끓여둔 물 마음껏 들며 땀으로 배출한다. 신진대사 원활하게
돕는다.

옆 사람 코 골이 방지하려 귀막이 가져온 내가 부끄럽다.
스펀지형 기내에서 사용하던 귀마개 효과 없다. 어제 동료의
의견은 이어폰이 좋다고 했다.

학생들 여행 와서 소란스러울까? 밖에 나가도 조용하다. 걱정한
나 부끄럽다.

이 정도면 침낭 필요 없다.
햇반도 판매하며 따스하게
데워준다. 페트병 물도 판다.

먹고 남은 빈 병은 본인의
배낭에 넣어야 한다.

방에 모기 한 마리 손으로 잡고
잔다. 방이 좁으니 멀리 숨지
못한다. 잠시 파리 한 마리 숨어
나른다. 잡아야 한다.

파리, 모기 내 몸에 땀 내음 가득하니 붙어온 듯하다. 5.20
노고단 대피소에 첫 날 밤이다.

종주 이튿날 5. 21. 20:52

오늘 일정은?

@ 노고단(老姑壇 해발 1,502m)에 올라 운무 본다. 임걸령 (해발
1,320 m) 삼거리 경유한다.

@ 노루목(해발 1,480 m))에서 반야봉(해발 1,732m) 가지 않고 삼도봉(三道峰 해발 1,449 m)방향 선택한다.

@ 화개재(해발 1,318m) 경유한다.

@ 연하천(煙霞泉)에서 점심 한다.

@ 형제봉(해발 1,433m) 지나 벽소령(碧宵嶺)에 짐 부린다.

산길 15km, 다소 빡빡한 거리다. 아침 6 시 일어나기로 약속했다. 5 시 창문 밝아온다.

잠자리 일어나 약 봉투 찾는다. 보온병에 따스한 물 한 모금하고 공진단에 비타민 한 알 복용했다.

침낭 없이 속옷 바람으로 잠잔 내 자리 사진 담았다. 이 글 쓰는 순간에 손등 땀 맺힌다. 실내 너무 덥다. 창문 살짝 열어 서서히 온도 낮춰야 하겠다. 아마도 1,500 고지 밖의 기온 10 도쯤 되리라.

오늘 복장 차린다. 어제 입은 순면 '작가'티 땀으로 얼룩졌지만 밤사이 말렸으니 다시 입는다. 군 시절 계급장같이 등에 소금 밴 얼룩은 훈장 되었다. 주황색 '작가'티는 옷소매 길고 두터우니 천왕봉에서 입으리라.

밤사이 학생들 아주 얌전히 잤다. 화성에 대안교육 특성화 두레자연고등학교 1 학년 학생들이다. 인솔한 '기 욱' 선생님 찾아 "교육 잘 되어 감사하다"고 인사했다.

40 명이 왔는데 한 사람 온 듯 소곤소곤한다. 일정 들어보니
코스와 숙박까지 우리와 같다. 든든한 생각 들었다.

인터넷 검색하여 학교 설명서 확인한다. '사랑의 실천 학교'
'대안교육' '우리 땅 밟기' '체험 특성화 교육' '문화예술 중점교육'
'40 명 한 학년' '10 명 담임 제' 등이다. 학교 소개 사진 보니
'암벽등반' 연습하는 곳도 있다. '지리산 등반' 계획과 일본 해외
이동수업도 있다. 돌아가 더 자세히 살펴보리라.

대피소 나오며 '심 용기' 직원님께 시설 깨끗하고 감사하다,
인사했다. 지금까지 여행 많이 했지만, 숙박소 나오며 진심으로
감사인사 드린 사례 있었던가! 별로 없는 듯하다.

산길 험하여 1km 는 평지 3km 에 비유한다. 7 시 30 분
출발하여 해발 1,500m 노고단 정상 밟았다. 지리산 십 경중 하나
'노고 운해' 볼 수 있을까?

노고단(老姑壇)은 넓은 초원으로 구성되었다. 신라시대부터 제사
지내던 제단이라는 이름이다. 노고(老姑)란? '늙은 할머니' 라는
말이다. 바로 지리산 할머니 생각나게 한다.

작가 티 입으니 무게 감 느낀다. 내려보는 뒷모습 사진 부탁했다.
멀리 또 가까이서 부른다. 나의 질문 듣고 바람결에 대답해 준다.

멀리 산 봉우리 섬 같다.

아침 태양 나지막이 비춘다. 파노라마 잡았다.

파란 하늘 흰 구름 겹겹이 내 발 밑까지 푸르름 인도한다.

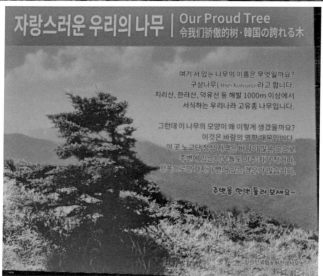

자랑스러운 우리의 나무 | Our Proud Tree
令我们骄傲的树·韓国の誇れる木

여기 서 있는 나무의 이름은 무엇일까요?
구상나무(Abies Koreana)라고 합니다.
지리산, 한라산, 덕유산 등 해발 1000m 이상에서
서식하는 우리나라 고유종 나무입니다.

그런데 이 나무의 모양이 왜 이렇게 생겼을까요?
이것은 바람의 영향 때문입니다.
이 곳 노고단 정상지역은 바람이 많은 곳으로
주변에 있는 나무들도 아주 키가 작거나,
한쪽으로만 가지가 뻗어 있는 경우가 많습니다.

주변을 한번 둘러 보세요~

지리산 국립공원 북부사무소

노고단 고개에서 2.1km 왔다. 해발 1,370m '돼지령'이다.
동으로 임걸령, 서로 노고단, 남으로 왕실봉 가는 길목이다.

임걸령에서 피아골삼거리
가는 이정표 사연 많다.

해발 1,336m 피아골 삼거리, 앞만 보며 걷는다.

천왕봉까지 직선거리로 22.7km 남았다는 이정표 기대 부푼다.

임걸령에는 샘터가 있으며 피아골로 내려가는 등산로가 있다.

재미있는 이름의 일화가 있다. 조선·선조 때로 거슬러 올라간다.

'임걸년'이라는 사람이 화개장터에서 넘어오는 보부상과 사찰을 털었다. 그 활동무대 기념으로 '임걸령'이라 부른다는 이야기이다.

약탈한 부잣집 물건 털어 가난한 사람에 나눠주는 보부상이었으면 얼마나 좋았을까?

'임꺽정의 난' 생각났다. 임걸령 삼거리에서 단풍의 명소 10경에 들어있는 피아골 갈 수 있다.

임걸령 지나 삼도봉 향한다.

계속 걸으면 노루목 거쳐 삼도봉에 닿는다.

해발 1,499m 봉우리이다.

전북 남원시 산내면, 전남 구례군 산동면, 경남 하동군 화개면 3도의 경계로 모이는 '삼도봉'이다.

지명 유래에 따르면 정상의 바위가 낫의 날처럼 생겼다고 하여 낫 날 봉, 날라리봉, 늴리리 봉 등으로 불렀다. 1988년 삼 도의 표지석 세우면서 삼도봉이라 부르기 시작했다.

바위 귀에 살짝 대고 무슨 말 하고 있는가?
흉보는 것 아니지?

화개재 도착한다. 화개재는 전북 남원시 산내면 부운리에 위치한다. 서쪽으로 삼도봉, 동쪽으로 토끼봉, 북쪽으로 뱀사골 산행로 분기점이다.

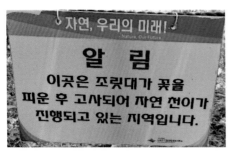

자주색 작은 '조리대 꽃' 처음 본다. 자세히 보아야 보인다. 볏과의 여러해살이풀이다.

'조리' 어린 시절 집집이 쌀 씻을 때 이는 삼태기 모양의 기구이다.

쌀 속에 모래가 들어있으면 무거워 밑으로 가라앉힌다. 그 원리 이용하여 이 기구를 물 위에서 휘 돌리면 쌀 만 담긴다. 기구 이름 '조리'라 불렀다. 정월 대보름날 이 조리 들고 다니며 서로 간 복을 기원한다 해서 일명 '복조리'라 불렀다.

이 기구 대나무로 만든 줄 알았다. 오늘 보니 '조리대' 나무가 별도로 있다. 잎은 약용이며 열매까지 있어 '식용한다' 배웠다.

아침에 칭찬했던 학생들 팀으로 이동한다. 우연으로 잠시 휴식할 때 만나면 반갑다. 국립공원 관리소에서 붙여 놓은 "자연은 우리의 미래" 라는 홍보 명판 몇 군데 보았다.

나는 쉬고 있는 학생들 바라보며 한 마디 격려차 질문했다.

"학생들! '자연은 우리의 미래' 라는 글 어떤 마음으로 읽었나요?"

모두는 무슨 말인지? 무슨 의미인지? 어리둥절한 표정이다.

오늘 여행하고 있는 "두레 자연 고등학교 학생들은 우리의 미래다"라 생각했어요" 맞지요? "두레가 미래다."

선생님이신 듯 살며시 웃으신다. 학생들은 "와~!" 외치며 환호한다.

"나는 한국의 미래다"라는 각오 새길 줄 믿어요! 재차 확인해 주었다. 기록에 미래 나온다.

그 말 주고 나니 시원했다. 그 뒤부터 만날 때마다 더욱 믿음직스러웠다. 몇 학생 뒤로 달려온다. 이게 무슨 일인가?

무거워 힘 드는 친구들 배낭 받아 매고 앞으로 간다. 산 교육의 현장이다. 체험장이다. 나눔 실천 현장이다. 우리의 미래 이렇게 가르치며 배우고 있다. 든든하다. 내 지리산 잘 왔구나! 이 광경 볼 수 있어 감사했다. 돌아가면 자랑하리라.

통증 느끼는 듯, 한 발 내밀며 앉아 있는 학생 앞에 선생님과 친우들 간호한다. 여쭈어 보며 큰 상처 아니기 우리도 위로했다. 내 배낭 비상 약 떠 올랐지만 학교 선생이니 더 많이 준비하였겠다. 참았다.

어느 학생은 등산화 바닥이 이탈되어 쩔쩔매고 있다. 우리 동료 배낭에서 끈 하나 내어 묶어주었다. 이 광경은 내 준비 과정에 읽었던 '산 잡지' 이야기와 동일한 내용이 발생했다.

토끼봉은 해발 1,534m
봉우리이다.

화개재와 벽소령 사이 연하천 대피소에 점심상 차린다.

연하천(煙霞泉),

이름은 숲속 흐르는 물 줄기가
구름 속 흐르는 듯하여
지어졌다 한다.

그럴 듯하다.

'천년(千年) 오랜 세월, 천년(天年)은 '타고난 수명을 제대로 다 사는
나이' 라 사전에 정의한다. '살아 천년, 죽어 천년, 썩어 천년' 주목
(朱木)인가? 구상나무 인가?

잠시 쉬고 싶었지만 일행은 마구 걷는다.
불러 쉬자고 말하고 싶었지만 이미 거리 멀어졌다.

불러도 이름없는 친구여! 왜 이리도 걷기에만 집중하는가?

형제봉은 수도하던 형제가 연하천 요정의 유혹을 이겨내려고 등을
맞대고 서 있다가 바위가 되었다는 설이 있다. 고대 가요 '정읍사
(井邑詞)'에 나오는 여인의 바위 같다.

벽소령 1.5km 남아있다.

형제봉 지나 벽소령(碧宵嶺)에 도착한다.

벽소령의 이름은 무슨 의미일까? 서로 궁금하여 묻는다. 이때 가장 쉬운 상상은 한자 사전 찾아보면 좋다. 푸를 벽(碧), 밤 소(宵)자이다. 막상 잘 어울리는 상상이 떠오르지 않는다. 벽소령의 달 풍경은 10경에 속한다. 떠오르는 달 빛이 푸른 빛을 띈다. 벽소한월(碧宵寒月)이라 한다.

우리나라 특산종 구상나무는 소나뭇과 상록 침엽 교목이다.

한라산, 지리산, 덕유산 등의 높은 산에서 잘 자란다.

소나무처럼 구상나무 방울 하늘 향하는 전진의 기상 보여주고 있다. 그래서 꽃말 '기개(氣槪)'라 하는가?

학명은 'Abies koreana'이니 88올림픽의 심벌 나무로 지정된 바 있다.

구상나무는 주목(朱木)과 비슷하다. 붉을 주(朱), 나무 목(木)자 나무껍질과 속살까지 붉은빛을 낸다. 붉을 적(赤)자 '적목(赤木)'이라 부르기도 한다.

건축재 또는 붉은 빛 염료로 쓰인다. 살아 천년 죽어서도 천년 일컫는다. 그만큼 목재의 결이 곱고 단단하다는 의미이리라. 사찰의 불상이나 염주 알 등을 만든다 하니 수긍(首肯)이 간다.

'죽어서도 천년' 말 있으니 '결초보은(結草報恩)' 고사성어 생각났다. 초보운전 강조하려 뒤 유리 벽에 보여주는 위트가 미소 짓게 한다.

선비샘의 유래 읽어본다. 공 세움 없는 명예가 뭐 길래? 죽은 뒤까지 많은 사람들의 절 받는 모습을 상상했을까? 원했을까? 그 시절 사람들의 분위기(문화)라 생각한다.

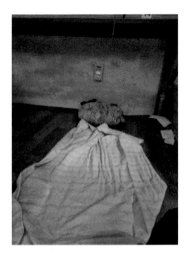

핸드폰 충전 필수이다. 콘센트가 잠자리 옆 벽에 있지 않다. 밖 공동 거실에 있다.

담겨있는 개인의 많은 자료 노출되는 일이다.

하기야, 이 시간 남의 자료 훔쳐볼 사람 없다.

아무리 좋은 폰이라 하더라도 훔쳐갈 사람 없다. 이 산에 오는 사람 모두 선인(仙人)이다.

쓰고 싶은 내용 많지만, 어둠에 쓸 수 없어 내일 쓰리라. 세면기 없는 수세식 화장실 다행이다. 세면기 없으니 이 닦을 물도 없다.

방에서 물 한 컵 들고나와 이와 이 사이 치실 이용한 뒤 헹구면 된다. 물이 깨끗해서 그런지 치약 사용 때보다 더 상쾌하다.

9시 소등시간 되어간다. 한 방에 2층으로 30여 명 칼잠 자게 된다. 다행히 개별난방 코일 등 따스하여 피로 풀어준다.

나보다 친구 입장 먼저 생각하는 여행이다. 찬 바람 맞고 늦게 들어와 기침 콜록대는 사람 있다. 어둠에 얼마나 미안할까! 5.21

   벽소령 대피소에서 장터목 대피소까지 9.7km, 5시간 30분 소요 예상하는 구간이다. 2일 지나니 각자 몸에 무리 없는지? 불편한 점 없는지? 서로 점검하며 조심스러워진다.

   덕평봉, 칠성봉, 영신봉, 세석평전, 촛대봉 지나 장터목 대피소 여유 있게 도착한다. 새벽, 어둠 속에 출발해야 하므로 미리 주변 익혀두는 것도 좋다.

이전 백무동에서 출발 세석 대피소 경유하여 이곳에 왔을 때는
붉은 일몰 장관이었다. 그날의 기대 어긋나 동료와 그 이야기
추억이라 나눴다.

몸 불편했던 학생과 신발 이탈된 학생이 궁금하여 여쭤보았다.
도중에 빠른 길로 선생님 인솔 따라 내려갔다 한다. 좋은 경험이다.

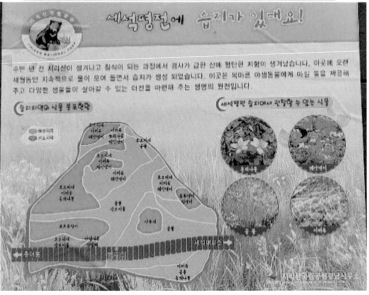

세석평전 습지 설명한다.

구상나무에 대해서 자세하게 설명한다.

진달래는 '참꽃이며 철쭉은 개 꽃' 이다. 처음 들은 이야기다.

개 꽃, 참꽃 어감 다르다.

'개' 면 어떻고 '닭'이면 어떠하리

꽃이면 되는 것을
보는 이에 따라
기쁨 주면 되는 일이다.

세석평전 꽃 밭길 동료 불러 세웠다.

바라보아~! 천천히 좀 가자고!

외쳤다, 목청 높였다.

뭐 그리 바빠! 장터목 가까워!

'호오리새'가
여러해살이 '식물' 이라 한다.

과거 세석평전이 산불로 훼손되었다.

그 뒤 다양한 야생화. 키가 작은 나무 교목 등과 섞여 살고 있다.
이 글 읽고 주위 눈 돌려 자세히 보았다. '기암괴석' 어울리는
말이다.

 언제 다시 이런 광경 볼 수 있을까! 역시 시야에 내려 보이는
지리산이야!

우리의 미래, 두레 고등학교 학생들 씩씩하게 오르내린다.
이 모습 이 마음 전해주고 싶다.

한 면에 담았다.

장터목 대피소에 도착하여 새벽 일출 계획에 신경 집중된다.

몇 번 왔지만 스쳐 넘겼던 이름 유래 궁금하다. 옛날 산청군
시천면 사람들과 함양군 마천면 사람들이 물물교환이나 물건 사고,
팔던 곳으로 장(場)이 섰다고 한다.

어떻게? 왜? 평지 두고 무거운 짐 매고 올라왔을까? 다른 쉬운
방법 없었을까?

무슨 종류의 물 취급했을까? 산삼? 고기? 과실? 아니면 조리대
나무? 그때도 걷기 운동 건강에 좋다고 느꼈을까?

내가 자란 고향의 이름도 동학혁명의 발단 '말목장터'라서 더
흥미롭다. 인터넷 검색하니 바로 나오는 세상이다. 지나온
'화개장터'도 있다.

오늘 밤은 학생들과 한 방에서 잘 수 있도록 배치되었다. 중앙
통로가 있다. 오른편 왼편에 어른들 자리한다. 이층에 학생들
들어온다. 잠시 후 선생님 한 분 2층으로 오르시니 조용하다.

숙소 안내방송 나온다. "특별히 이곳 장터목 대피소에는
천왕봉에 올라 일출 보러 오는 분이 많다." 따라서 특별히 새벽
3시부터 오르는 길 열어주겠다.

거리로는 1.7km, 1시간 30분 소요 예상되지만, 어둠 반영하면
2시간 전에 출발하면 여유 있다.

우리는 3시 20분 출발하기로 의견 모았다. 아침 식사 대비하여
2시에 일어나기로 핸드폰 알람 맞췄다. 어둠 속, 머리에 랜턴 켜고

부스럭부스럭 짐 꾸리면 옆 사람 잠 피해줄 수 있다. 그러니 잠 자기 전에 배낭 속에 모두 담아 놓는다. 일어나 끌고 슬그머니 빠져나가야 한다.

통로 쪽에 발 내민다. 번호 숫자 밑에 머리 향한다. 수면 양말 신었다. 침낭 없으니, 상하의 옷 두툼하게 입었다. 밑바닥에 닿는 살 빠진 궁둥이와 등은 차가웠다. 이대로 자게 되는가? 걱정되었다.

잠시 후 안내방송 또 나온다. 소등 시간 1시간 앞당겨 8시로 하겠다며 불이 꺼진다. 잠시 후 어둠 속에 등 부위 온기 오른다. 전기 열선 깔린 듯했다. 열선은 사람 누운 자세 밑으로만 흐른다.

개별로 에어매트 준비한 사람들 있다. 누워 좌우 자세 바꿀 때마다 '뿌드득 뽀드득' 소리 어둠에 크게 들린다. 들려던 잠 다시 깬다. 귓속에 스펀지로 막았지만, 별 효과 없다. 코 고는 자장가 대신 소음 공해 된다.

엎치락뒤치락 스트레스 쌓인다. 정작 본인은 그 소리에 마취되었는지 코까지 곤다.

다음부터 이곳에 오려면 이런 소리 불평하지 않도록 특별 대비하려 다짐한다. 잠 들었다. 숙면 방해되면 다음 날 걷는데 좋을 일 없다.

넷째 날

손꼽아 세어보니 겨우 4시간 정도 잠에 취한 것 같다. 진동 모드 핸드폰 머리맡에 두었는데 알람 크게 울렸다. 놀라 소리 끄고 미안했다. 그 소리에 옆 동료 일어난다.

거실에 나와 배낭 짐 다시 정리한다. 아침 준비와 옷가지 등이다.

취사실에 비상등만 켜져 있다. 셋이는 머리에 불 비춰며 물 끓여 아침상 차린다. 보온병에 물 끓여 한 병 가득 채웠다. 음료로 가능하다 적혀 있지만 갑자기 물 바꾸면 위경련 일어날 수 있다.

다행인 것은 지난 차 왔을 때는 급수원이 50에 여 미터 밑에 있었다. 이번에는 취사장 창밖에 바로 있다. 개선된 점 다행이다.

정확하게 3시 되니 취사장에 불이 켜진다. 바닥 입구에 담아놓은 비닐봉지가 모두 찢겨 널려 있다. 학생 몇이 나와 담고 있다.

나는 그 모습 보며 "학생들, 좋은 일 하고 있어 보기 좋다. 아마도 쥐나 산 짐승들이 음식물 들어 있는가? 찢어놓은 듯하다." 격려해 주었다.

어제도 여러 면 보았지만, 피부로 느끼며 실행에 옮기는 교육, 참교육 현장이다. 든든하고 자랑스러웠다. 학생들은 아침 식사 없이 어둠 속에 출발한다. 아마도 도중에 주먹밥 정도로 가름할 예정인가? 보다.

3시 20분 이마에 불 밝히고 돌길 조심으로 오른다. 위로
오를수록 기온 떨어짐 걱정하여 가벼운 오리털 겨울 바지 입었다.

한 발이라도 삐끗하면 안 된다. 어둠에 스틱 들고 있으니,
앞사람과 일정 간격 두어야 한다. 가끔 걸음 멈춰 동료 확인한다.

잠시 '물 한 모금 마시고 가자!' 외치며 갓길에 배낭 의지할 바위
찾아 내려놓는다. 어른들은 말이 없다. 학생들은 재미있는 이야기
나눈다. 웅성웅성 그 훈김 힘 되었다.

밤길 종종 위치 알림 표식 세워져 있지만 없는 곳에는 로프가
　　　　　유일한 안내자 되었다. 눈에 이물질이 들어갔는지?
　　　　　침침하다.

　　　　　밟아야 하는 돌 부위 시야 희미하다. 이마에 끼도
　　　　　있는 전구 빛이 약해졌다. 마음 조급 해진다. 어쩐란
　　　　　말인가? 이 시각에 왜 이런 일이 일어나는가?

　　　　　다행히 한 동료의 불빛은 엄청 밝다. 내 것에
　　　　　비유하면 대낮 같다. 내 것은 '메이드인 차이나',
　　　　　동료는 '이태리' 라 한다. 겨우 두 시간 정도 켰는데
　　　　　왜 이리 쉽게 배터리가 달아버리는가? 장난감 같다.
　　　　　돌아가면 이것부터 바꿔야 하겠다.

　　　　　해발 1,800 여 미터 보름달 서산 속에 지고 있다.
　　　　　순간 사진 담고 보니 바로 져 버렸다. 지구, 이리
　　　　　빠르게 돌고 있구나! 몸 온도 오름에 호흡 가빠진다.
　　　　　상의 벗는다.

　드디어 먼저 오른 사람들 환호한다. 그 곁에 기념 석 껴안고
사진 담았다. 미아에 불빛 비춰주며 서로 찍어준다.

이 광경 보려고 왔다. 남한 육지 중에서 가장 높은 고도 1,915m 에 자리 펴고 앉았다. 밤바람 맞은 암석 위에 20 여 분 동안 앉아 있어야 해가 오른다. 자세 안정하고 사진 찍어야 한다. 대비로 엉덩이 방석 어젯밤 만들어 왔다. 옷가지 비닐봉지에 넣어 오니 푹신하여 스스로 미소 띠게 한다.

나의 사진 학생의 작품이다.

내가 열 두 사람?

앉아 숫자 세며 웃었다.

한 줄기 가느다란 노랑 빛 보인다.

노란 태양 부시다.

날 밝아 랜턴 없이 중산리 방향으로 내려가는 길이다.

대부분 어른은 말없이 동편 하늘 바라보고 있다. 그러나
학생들은 오손도손 이야기 꽃 피운다. 든든한 위로 되었다. 선생님
부른다. '기념사진 찍자 모여라.'

붉게 물들어 오르는 태양 대신 하얀 하늘빛에 산 윤곽선
밝아진다. 머리 숙여 마음속 깊이 기도한다.

내려오는 길에도 학생들 마주치면 서로 먼저 인사한다. 웃으며
화답한다. 며칠 동안 친해졌다. 그때마다 짧은 한마디 오래 기억날
수 있도록 '우리의 미래여!' 말해 주었다.

선생님께 내 핸드폰에 들어있는 학생들 사진 보내 드렸다.

치밭목 경유하여 대원사로 내려가는 하산 길 통제된다. 선택은 중산리 외길 되었다.

시간 절약되는 만큼 경사 급하니 긴장된다. 3 시간 30 분 정도 내려오며 탐방 안내소에 닿는다.

며칠 짬짬이 학생들과 마주치며 친해졌다. 내려오며 어느 학생과 대화할 시간 가졌다. 내가 먼저 말 걸었다.

신발 밑창 떨어져 도중 하산한 친구 예를 들며 나의 경험담 말해 주었다. '산' 잡지에서 읽은 내용 예를 들며 가급적 신발 장에 오래 보관된 신발 선정하면 안 된다.

학생은 "몇 번이나 신는다고 새 신발 엄청 비싸요."

그 질문 학생 신분으로 착하기도 하다. 부모님 경제 걱정하는 말이다. 내 대답은 단순했다. 학생들은 프로 산악인 아니니 너무 고급 등산화 구입하지 않아도 된다. 저렴한 신발 구입하면 이번 같은 불상사 예방할 수 있지 않을까?

인터넷에 나와 있는 콜택시 번호 응답이 없다. 버스 터미널까지 20 여 분 걸어야 했다. 무인 자판기 '포도 음료수' 한 잔에 2,700 원 어떻게 받을까? 친구는 핸드폰으로 결제한다. '우수수' 컵 속에 떨어지는 얼음덩이 시원하다. 그 위에 연녹색 물이 쏟아진다.

두 발 역할 잘 한 '스틱' 접어 배낭 속에 넣는다. 배낭 무게 줄어든 품목은 마른 누룽지와 쌀국수 8 식분이다. 그 외 양갱이 몇 개, 채워 다니던 보온 물통 비워졌다, 230g 충전된 액화 부탄 가스 내용물 거의 비워졌다. 모두 합하니 다소 가벼운 느낌이다. 어떻게 이 무게 메고 천 오백 고지 올라 걸었을까!

가벼워진 짐 메고 한 손에 얼음냉수 컵 들었다. 얼음덩이 이로 부수면 이 뿌리 상한다. 걸으며 한 모금 마신 뒤 물만 섭취하고 얼음은 바로 뱉는다. 순수 먹을 수 있는 물 덩이이니 환경 오염 없으리라. 그 모습 좋아 보이지 않아 미안했다.

시내버스 50 여 분 원지 고속버스 터미널 향한다. 차 속에서 동료는 진주에서 경유하는 고속버스 시간과 좌석 정보 핸드폰으로 검색한다. 점심시간 감안하여 적당한 시간에 3 좌석 남아 있음 확인했다. 달리는 버스 속에서 바로 구입 결제한다.

터미널에 도착하여 표 받지 않고 식당 찾아 축배 자리 만든다.

'지리산 흑돼지구이' 이구동성 일품 외친다. 시원한 보리 음료 갈증 해소 그만이다. 몇 번 부딪치며 자축 외친다. '우리는 해 냈다.' '언제 좋을지 다음 약속이다.'

운 좋게 얻은 자리는 앞뒤 구분되었다. 셋이는 공평하게 '가위바위보' 외치며 자리 정했다. 20인승 고속버스 나는 17번 맨 뒤이다.

앉고 보니 비상문 옆이라서 혼자 앉는다. 비행기로 말하면 '비즈니스' 석이다.

슬쩍 통로 옆 사람 발을 보니 신발 벗었다. 나는 등산화 끈만 풀어놓았지 벗지 않았다. 3일 동안 세수 못 하고 치약 없는 치아 세척 겨우 했다. 땀으로 배었으니 얼마나 내음이 날까! 옆 사람 없어 다행이다.

매일 벗은 양말과 신발 속 내음 전혀 없다. 나만 그러 한가! 동료에 말하니 똑같은 상황이다. 아마도 맑은 공기 덕분일까? 아니면 내 코 마취되었는가? 5.24

제4화 정리

정리 1, 5.23

집에 들어서자마자 반기는 아내에게 '저울 좀 가져와요?' "왜?"

무게 달아보아야 하겠어요. 배낭 무게 8kg 이다. 겨우 4kg
줄었다. 바로 다음 여행 출발 무게 예측된다. 다음에는 총 7kg
이내로 만들어도 되겠다.

나흘 동안 매고 다녔던 배낭 푼다. 한 번도 입지 않은 옷이 있고
남은 음식도 있다. 비닐에 쌓아 모은 쓰레기도 있다. 긴장 풀려
몸과 마음 씻는다.

아내 준비한 따스한 불고기에 곡주 한 잔 마신다. 위가 놀랐는지
좀처럼 졸리지 않는다. 안식(安息)이다. 아내에게 핸드폰 주며
담겨있는 사진 구경하라 했다. 사진만 보아도 재미있을 것이다.
아이들 핸드폰 만지는 것 같이 옆으로 척척 넘기며 웃는다.

뒤 돌아 걸었던 그 길 험한 골짜기 생각하니 아스라하다. 꿈만
같다. 내가 했단 말이다. 내 정신과 육체로 안전하게 걸어왔던
길이다. 차근하게 사진 보며 글 정리해야 한다. 몇 쪽이나 될지
몰라도 책으로 내려 계획했으니 실현해야 한다. 5.23 밤

천왕봉 하산하며 어느 계곡 우리 팀과 두레자연고등학교 한 팀은
잠시 쉬는 시간 있었다. 그때 '우리의 미래~!'라 외쳐주며

두레자연고등학교 학생들 한 팀의 선생님께 사진 보내 드린 회신이
왔다.

MMS 오후 5:39

산행하시느라 고단하셨을탠데도 잊지 않고
보내주셔서 고맙습니다! 아이들에게도 좋은
말씀 해주셔서 특히 더 감사해요!!

오후 6:33

5월 24일 금요일

존경하는 선생님, 자랑합니다. 참 교육
... 담아왔습니다.

오후 8:48

정리 2, 5.26

　출발 전에 짐 준비하고 패킹하기까지 시간 많이 걸렸다. 서실 바닥에 펴 놓고 '이걸 넣을까? 말까? 무게 확인했다.

　몇 번이고 넣었다 다시 빼고, 이 배낭, 저 배낭에 번갈아 넣어보았다.

　마지막으로 아내의 의견에 따랐다. 빌려온 60리터 경량 배낭에 여유 있게 넣는 것이 좋겠다. 우리 배낭은 오래되어서 등에 밀착되지 않는다. 다녀온 뒤 세탁해 주겠다고 했다.

　막상 매고 산 타보니 배낭 기능의 중요함 느낄 수 있다.

　첫째 가벼워야 한다.

　둘째 등에 메면 어깨 밑 등에 밀착되어야 한다.

　셋째 여행 짐 양에 따라 크기 다르다.

　당일 기준은 30리터 배낭 추천한다. 그러나 이번 같이 3박 4일 식 재로 넣어야 하는 상황에서는 40리터 추천한다. 너무 커도 번거롭고 너무 작아도 복잡하다.

　지정된 취사장에서 물 끓이는 버너는 가벼울수록 좋다.

　출발 전에 불 켜 보며 점화 플러그 상태는 양호한가? 확인해야 한다. 취사장에서 불 켜지지 않아 쩔쩔매는 분 보았다. 점검해 보니 출구 밸브 고장으로 가스 나오지 않았다. 남의 일 나의 경험 보탬된다.

스틱은 절대 필수품이다. 가벼울수록 좋으며 출발 전에 세심히 점검해야 한다.

야간 산행 있으면 랜턴 준비 필수이다. 가급적 저렴한 상표 피하면 좋다. 이번 경우 절실히 느꼈다. 새 상품으로 정했는데도 잠시 후 흐려졌다. 어둠에 얼마나 당황할 일인가!

잠을 푹 자야 즐거운 여행이 된다. '캠핑 에어매트'는 바닥에서 올라오는 냉기 차단에 효과 있다. 또한 부피와 무게 부담 없어 좋다.

하지만 지리산 국립공원 대피소는 방으로 구성되어 있다. 바닥은 비닐 장판 깔려 있다. 전기 열선 설치되어 있다. 냉기 올라오지 않는다.

요즈음 가벼운 에어 매트 많다. 공기주머니들 볼록 튀어 오른다. 그 위에 가벼운 옷을 입고 눕는다. 몸 좌우 움직일 때마다 비닐 공기주머니 서로 부딪치는 마찰 소리 요란하게 난다. 바닥에 천을 깔아보았다. 효과 없다.

홀로 자는 텐트 속에서라면 남에 소음 피해 주지 않는다. 합숙하는 방에서는 실례될 수 있다.

수면 시작하려는 순간 귀에 들리는 '뽀드득 뿌드득' 등 소리는 자장가 리듬 다르다.

결론으로 지리산 대피소에는 비닐 바닥에 누웠을 때 밑바닥은 딱딱하다. 다소 가볍고 두툼하며 부드러운 타올 등 준비함도 좋겠다.

침낭 이용해 보니 부피 커서 짐이 된다.

큰 방에 여러 사람 수면한다. 코 고는 사람 많기에 각자 대비해야 한다. 이어폰과 비행 중에 사용하던 귀 막이 효과 없다. 아예 산업용 귀 막이 구해보면 좋겠다.

빌려온 배낭 깨끗하게 세탁하여 반납하려 했다. 세탁기에 들어가도록 큰 망에 넣어 세제 넣고 돌렸다. 탈수 후 바람 잘 통하는 창가에 걸어놓아 2, 3일 건조했다. 반납에 고맙다는 인사와 함께 '세탁했어요' 라 말했다.

두 동료 깜짝 놀라며 "등산 배낭 세탁하면 안 돼요" 합창한다.

무색했다. 가슴 출렁이며 순간 "아차, 내가 실수했구나" 바로 알았다. 방수기능 떨어진다는 말이다. 배낭은 땀 젖은 어깨와 등 부위만 별도로 세탁하는 것이라 했다. 가급적 본인의 배낭 사용함이 좋다.

얌전하려다 망신 샀다. 모르고 한 실수이니 어쩔 것인가! 바로 "미안하게 되었다" 방수 스프레이 사줘야 하겠다.

작가의 말

나는 우주에 무슨 발자국 남길까?

'글 쓰는 N생' 수업 받으며 정했습니다. 결심 후 지리산 종주 앞 두고 가슴 설레었습니다.

글 쓰러 가는 동반자 더하니 든든했습니다.
사물 다시 보게 됩니다. 생각 깊어집니다. 사실대로 적습니다.

여행하다 보면 여러 사람 만나며 관계에 유익 주는 사람이 더 많습니다. 내가 먼저 마음 열면 정다운 이웃 되고 때로는 스승도 될 수 있습니다.

이번 여행 고희 중반 친구 둘 함께하여 든든했습니다. 마침 학생들 옆에 있어 흐뭇했습니다. 여러 모습 배우며 스스로 돌아보게 했습니다.

귀한 발자국 남기고 가는 '나그네'라 말하지요. '어디 한번 가볼까요? 지리산! 산 이름에 가까운 앞 뒷산 이름 넣어봐도 좋습니다.

걸으며 마주치는 사람들에 "좋은 날 되세요" 먼저 인사합니다. 위로주는 여행 즐겁습니다. "아는 것이 좋아하는 것만 못하고, 좋아하는 것은 즐기는 것만 못하다"는 말에 공감합니다.

백 걸음 시작은 만 걸음 '할머니 산' 만날 수 있습니다.
감사합니다. 2024년 7월 장 의영